L'Abandon à la Providence divine

L'Abandon à la Providence divine

Autrefois attribué à
Jean-Pierre de Caussade

Nouvelle édition établie et présentée
par Dominique Salin, s.j.

COLLECTION CHRISTUS N° 90
Textes

DESCLÉE DE BROUWER

© Desclée de Brouwer, 2005
10, rue Mercœur, 75011 Paris
ISBN : 978-2-220-05663-0

Introduction

Quarante ans après l'édition établie par le
P. Michel Olphe-Galliard pour la collection
« Christus », une nouvelle présentation de
L'Abandon à la Providence divine s'imposait.
Le texte lui-même appelait des améliorations et
un apparat critique. Surtout, sa présentation ne
correspondait plus à l'état présent des études
caussadiennes. Pour faire bref, il n'est plus
possible d'attribuer au P. Jean-Pierre de Caussade (1675-1751) la paternité de cet écrit, pas
plus que de la plupart des lettres publiées sous
son nom. La valeur de ces textes n'en est pas
entamée pour autant. L'*Iliade* et l'*Odyssée* n'ont
rien perdu de leur pouvoir poétique lorsqu'il est
devenu évident qu'elles ne pouvaient être
l'œuvre d'un Homère. Que la *Théologie
mystique* n'ait pas été écrite par saint Denys
l'Aréopagite n'enlève rien à sa portée ni à son
influence sur la tradition chrétienne. De même,
les générations qui, depuis le second Empire, se
sont nourries des écrits attribués à Caussade

n'ont pas été victimes d'une illusion. Tel le P. de Foucauld qui écrivait de *L'Abandon* : « C'est un des livres dont je vis le plus. » Tels encore les théologiens Romano Guardini et Hans Urs von Balthasar. Ce dernier a consacré au traité plusieurs pages de *La Gloire et la Croix* (t. IV). Il y voit un résumé de Fénelon et de toute la mystique européenne « depuis les rhénans jusqu'aux Français en passant par Jean de la Croix, dans une unité d'une simplicité confondante ».

Histoire du texte

Ce que l'on peut savoir aujourd'hui des origines de ce texte se réduit à peu de choses. On le découvre en parcourant sommairement l'histoire de sa publication. Lorsqu'en 1861 le P. Henri Ramière, jésuite directeur de l'Apostolat de la Prière, publiait ce qu'il a intitulé *L'Abandon à la Providence divine*, il attribuait cet écrit à un jésuite du siècle précédent, le « R. P. Jean-Pierre Caussade » (sans particule), de la province de Toulouse. Caussade était connu pour avoir contribué, dans une mesure qui demeure obscure, à la publication d'un ouvrage dont la première édition, en 1741, était restée prudemment anonyme, mais dont le permis d'imprimer avait été accordé au P. Paul-Gabriel Antoine, théologien jésuite réputé, de la province de Champagne : *Instructions spirituelles en forme de dialogues sur les différents états d'oraison suivant la doctrine de M. Bossuet,*

évêque de Meaux. Cet ouvrage, divisé en deux
livres, faisait écho aux questions de vie spirituelle qui, à la fin du XVIIᵉ siècle, avaient opposé
Bossuet et Fénelon dans la « querelle du quiétisme », suscitée par la doctrine de Madame
Guyon. Fénelon avait pris la défense de Madame
Guyon et de sa spiritualité de l'abandon et de
« l'amour pur », l'amour désintéressé. Sous
couleur de présenter la doctrine de Bossuet, les
Instructions spirituelles développaient en réalité
celle de Fénelon et de Madame Guyon, qui avait
été condamnée.

Le manuscrit que publiait le P. Ramière avait
traversé la Révolution française. Il se trouvait au
couvent des Dames de Nazareth, à Montmirail
(Marne), mais avait appartenu, selon une
mention manuscrite, au troisième monastère de
la Visitation de Paris. La duchesse de Doudeau-
ville, très liée aux Visitandines et fondatrice de
l'institut de Nazareth sous la Restauration, en
avait été sans doute propriétaire sous la Révolution et l'Empire. Un Avertissement spécifie qu'il
s'agit de « lettres écrites par un ecclésiastique à
une supérieure de communauté religieuse ». On
peut lire en outre sur la page-titre : « L'autheur
est le Rᵈ Père Caussade, de la Compagnie de
Jésus. » Le P. Ramière prit ces indications pour
argent comptant.

Il jugea bon cependant d'introduire un peu
d'ordre dans le texte du manuscrit de Montmirail. À ses yeux, la copiste avait aligné ces lettres
ou ces extraits de lettres sans souci de cohérence.
En outre, la division en onze chapitres lui paraissait arbitraire, ainsi que les titres attribués à ces

chapitres. « Le titre même de l'ouvrage [« *Traité où l'on découvre la vraie science de la perfection du salut* »] ne donne aucune idée du sujet dont il traite », écrit Ramière dans son Avant-propos. Il lui conféra donc un titre qui lui semblait rendre compte de la doctrine du traité, tout en l'inscrivant dans la tradition dont il relevait : celle de « l'abandon » prôné par Madame Guyon et Fénelon, à la suite de saint François de Sales. Surtout, il redistribua les « pensées » qui constituaient le traité en adoptant un ordre qui lui paraissait plus « logique », conforme en tout cas à l'orthodoxie qu'une « saine théologie » se devait d'introduire dans des considérations trop mystiques et risquant d'induire en erreur des lecteurs non avertis. À la même époque, en effet, un autre jésuite, le P. Hilaire, qui avait eu connaissance du manuscrit, portait sur celui-ci des jugements fort négatifs : il ne pouvait être attribué à l'auteur des *Instructions spirituelles*, c'était l'œuvre d'un « gnostique », inspiré par l'illuminisme le plus insidieux. Le P. Ramière dépeça donc le texte et en distribua la matière en deux « parties », distinguant « la vertu » d'abandon, recommandable à tout le monde, et « l'état » d'abandon, dont la « passivité » est réservée aux âmes d'exception. Quelques suppressions d'« inutilités » ou d'« exagérations » et quelques « soudures » achevaient de mettre le traité à l'abri du soupçon de « quiétisme ». L'Avant-propos du P. Ramière rappelait enfin ce que le traité ne soulignait pas suffisamment, au regard de la doctrine traditionnelle : que l'action divine de sanctification ne se fait pas en dehors de la personne de Jésus-Christ.

Les éditions suivantes de *L'Abandon à la Providence divine* devaient être enrichies par l'adjonction de lettres attribuées à Caussade, qui en triplèrent pour le moins le volume et qui ancrèrent les esprits dans la conviction que le jésuite avait été un auteur spirituel abondant. En effet, le couvent de la Visitation de Nancy, ville où Caussade avait exercé son ministère à deux reprises, entre 1730 et 1739, fit savoir au P. Ramière qu'il possédait dans ses archives de nombreuses autres lettres et des avis développant la même doctrine. Ces écrits, à n'en pas douter, avaient été adressés par Caussade à des religieuses de la communauté ou à des personnes proches de celle-ci. Ce n'étaient pas des originaux, certes, mais des copies, voire des copies de copies. Et la supérieure à qui était adressées les lettres composant le traité publié par le P. Ramière ne pouvait être que la Mère de Rottembourg, maîtresse des novices puis supérieure du couvent à l'époque où Caussade y avait ses entrées. Le P. Ramière adopta ces vues. La cinquième édition de *L'Abandon à la Providence divine* (1867) présente 129 lettres de Caussade (devenu entre-temps « P. Jean-Pierre de Caussade »). La huitième édition, encore établie par le P. Ramière lui-même, présente 149 lettres et dévoile les noms de leurs destinataires, à la lumière des travaux publiés par les Visitandines dans leur revue, *L'Année sainte des Religieuses de la Visitation Sainte Marie*. Le P. Ramière déclare avoir procédé, pour les lettres, au même travail de « mise en ordre » que pour le traité. Les lettres sont regroupées « sous sept chefs principaux » autour de la « vertu » puis de « l'état » d'abandon ainsi que des épreuves inhérentes à celui-ci. « Quelques-unes, qui renfermaient des matières complètement disparates, ont été divisées. » Le succès de l'ouvrage du P. Ramière fut considérable : on comptait vingt-deux éditions en 1934.

Après la deuxième guerre mondiale, le P. Michel Olphe-Galliard, s.j. (1900-1985) entreprit de restituer aux écrits caussadiens leur fraîcheur originelle, du moins celle des manuscrits dont on disposait. Il publia séparément, dans la collection « Christus », la correspondance en deux volumes [1], puis le manuscrit de Montmirail en l'état [2]. Il publia enfin un manuscrit qu'il attribuait à Caussade et qui paraissait constituer l'état premier du livre II des *Instructions spirituelles*, avant l'intervention du P. Antoine et des censeurs romains, sous le titre : *Traité sur l'oraison du cœur* [3]. Ce manuscrit avait appartenu au monastère du Refuge à Nancy. Plus nettement encore que le texte définitif, il dénotait l'influence de la doctrine de Madame Guyon,

---

1. Jean-Pierre de CAUSSADE, *Lettres spirituelles*, Desclée de Brouwer, t. 1, 1961 ; t. 2, 1964.

2. Jean-Pierre de CAUSSADE, *L'Abandon à la Providence divine*, Desclée de Brouwer, 1966.

3. Jean-Pierre de CAUSSADE, *Traité sur l'oraison du cœur. Instructions spirituelles*, Desclée de Brouwer [1981]. L'ouvrage présente successivement l'état premier et l'état définitif du livre II des *Instructions*.

notamment celle du *Moyen court et très facile de faire oraison*.

Parallèlement à ces éditions, les études que publia M. Olphe-Galliard confortèrent l'image d'un Jean-Pierre de Caussade jésuite salésien et fénelonien, voire guyonien, comme il y en eut beaucoup au XVIIIe siècle, tels le P. Milley (1668-1720) et le P. Grou (1731-1803)[4]. Caussade n'était pas seulement l'auteur des *Instructions spirituelles*, qui se dissimulait, par prudence ou par humilité, derrière le P. Antoine. Il ne s'était pas contenté d'écrire *L'Abandon à la Providence divine*. Son rayonnement spirituel considérable, en Lorraine mais aussi dans le Midi, était attesté par une correspondance fournie et circonstanciée[5].

Au fil des années cependant, l'image construite par M. Olphe-Galliard devait se brouiller quelque peu. D'abord, l'homme lui-même demeurait mystérieux. Les rares données historiques dont on dispose ne suggèrent pas une personnalité particulièrement remarquable. Il est né dans le Quercy en 1675. S'appelait-il Caussade ou de Caussade ? Dans les catalogues jésuites, la particule n'apparaît (irrégulièrement) qu'après le second séjour à Nancy. Les

---

4. Voir par exemple M. OLPHE-GALLIARD, « Le P. Jean-Pierre de Caussade, directeur d'âmes », *Revue d'Ascétique et de Mystique*, 19 (1938), p. 394-417 et 20 (1939), p. 50-82 ; « L'Abandon à la Providence divine et la tradition salésienne », *Revue d'Ascétique et de Mystique*, 38 (1962), p. 324-353.

5. Dans son édition des lettres, le P. Olphe-Galliard procéda à d'audacieuses reconstitutions contextuelles qui ne résistent pas à l'analyse des manuscrits.

catalogues montrent en tout cas que ce docteur en théologie fut d'abord, dans sa province d'origine, un homme de collèges, professeur ou préfet des études, que ses supérieurs ne laissaient jamais longtemps au même endroit et dont ils soulignaient, dans leurs rapports, le manque de jugement *(prudentia aliquando indiscreta)*. À partir de 1720, Caussade est appliqué à des ministères spirituels ou de prédication, à Clermont-Ferrand, Saint-Flour, Le Puy. En 1724, pour des raison inconnues, il se trouve dans la province jésuite de Champagne, à Beauvais, comme prédicateur et missionnaire urbain. C'est à ce titre qu'il intervient à Nancy, pour un premier séjour en 1730 et 1731 (le P. Antoine, ancien professeur à Pont-à-Mousson, s'y trouvait ces années-là et les suivantes). Caussade fréquenta le monastère de la Visitation et les couvents alliés, mais, pour ce premier séjour, il n'existe pas de traces d'un rayonnement particulier en dehors de quelques causeries et lettres de direction spirituelle qui pourraient lui être attribuées. Pour quelles raisons fut-il rappelé dans sa province d'origine, au séminaire d'Albi précisément, en 1731 ? L'hypothèse d'une prédication imprudente ne repose sur aucun fondement. Après deux ans d'absence, Caussade revint à Nancy pour six ans. Il prêcha l'Avent 1733 et le Carême suivant devant la cour de Lorraine, comme l'attestent des documents comptables qui le dénomment « P. de la Caussade ». Selon les catalogues jésuites, il donne des retraites à la maison d'exercices spirituels de Nancy dont il devient directeur en 1737, tout en participant à des missions urbaines en Lorraine. En 1739, il rentre définitivement dans sa province, comme recteur du collège de Perpignan (les *Instructions spirituelles* sont publiées, en 1741, à Perpignan, Nancy, Toulouse et Lyon), puis recteur du collège d'Albi (1742). Retiré au séminaire de Toulouse en 1747, il y mourut en 1751.

On le voit, rien dans ces données biographiques ne laisse présager l'exceptionnelle fortune que connaîtra *L'Abandon à la Providence divine*. Aucun document marquant, en outre, ne vient arracher la figure de Caussade à la grisaille dans laquelle elle se fond. Ces constatations, et d'autres, ont conduit, ces dernières années, à réexaminer les données tenues jusqu'alors pour acquises. L'image d'un Caussade auteur spirituel majeur, construite par le P. Ramière et consolidée par le P. Olphe-Galliard, n'a pas résisté à cette remise à plat. Il apparaît désormais que plus grand-chose ne peut être attribué avec certitude à sa plume, à commencer par *L'Abandon à la Providence divine*.

Le style et l'inspiration de ce traité, d'abord, contrastent trop avec l'écriture des lettres considérées comme authentiques et celle du *Traité de l'oraison du cœur* pour que Caussade puisse être considéré comme son auteur. Certes la doctrine n'en est pas foncièrement différente. Mais la richesse d'expression du traité tranche sur la sobriété des autres écrits. M. Olphe-Galliard l'a reconnu lui-même sur le tard. Il écrivait en 1979 : « Une étude approfondie, parue dans le *Bulletin de Littérature Ecclésiastique* de l'Institut catholique de Toulouse, nous a convaincu que le premier chapitre est la reproduction d'une lettre du P. de Caussade, mais que les chapitres suivants sont d'une plume apparentée à celle de Madame Guyon[6]. » Un an avant sa mort, dans son dernier ouvrage, il faisait un pas de plus, admettant que, même dans le premier chapitre, la pensée de Caussade a été « défigurée par quelques interpolations maladroites sinon dangereuses[7]. La suite du traité, quoi qu'en dise l'Avant-propos, n'est pas composée dans le style épistolaire du P. de Caussade et ne répond pas à la sage modération du directeur spirituel des Visitandines de Nancy. Il s'agit plutôt d'un écrit dont l'auteur a subi l'influence du courant mystique dont Madame Guyon est l'un des témoins représentatifs[8] ».

C'est tout le traité, en réalité, qui est dû à une plume guyonienne anonyme. Reprenant à nouveaux frais l'examen des différents manuscrits caussadiens, M. l'abbé Jacques Gagey a mis à jour, dans les archives de la Visitation d'Annecy, une correspondance de la sœur archiviste de la Visitation de Nancy qui avait été en

---

6. Jean-Pierre de CAUSSADE, *Traité sur l'oraison du cœur. Instructions spirituelles* [1981], Introduction, p. 44, n. 17. L'étude du P. Olphe-Galliard, « Le P. Jean-Pierre de Caussade et Madame Guyon », avait paru dans le *Bulletin de Littérature Ecclésiastique*, t. 82/1, janvier 1981, p. 25-54.

7. Allusion à l'apparente relativisation du rôle des directeurs de conscience et au fait que l'Annonciation puisse être considérée comme un événement spirituel parmi d'autres, par exemple.

8. M. OLPHE-GALLIARD, *Théologie mystique en France au XVIIIe siècle : le Père de Caussade*, Beauchesne, 1984, p. 187.

relation avec le P. Ramière, la sœur Fervel. On découvre que c'est elle qui, avec la meilleure foi du monde, a persuadé le P. Ramière que *L'Abandon* était un tissu de lettres de Caussade à Mère de Rottembourg et que Caussade était l'auteur des nombreuses lettres dont son monastère détenait des copies qu'elle lui a communiquées. Elle n'a abusé le P. Ramière que parce qu'elle était la première convaincue. Mais aucun indice sérieux ne vient corroborer cette revendication de paternité. La mention même de Caussade sur le manuscrit de Montmirail est un indice trop grêle pour valoir démonstration.

En fin de compte, comme l'a montré J. Gagey, seule une série de trente-deux lettres peut être attribuée à Caussade avec certitude. Ces lettres ont été adressées par lui, à partir de 1731, à une dame lorraine qui demeure non identifiée. On voit que celle-ci ne se consolait pas du rappel dans le Midi de son père spirituel, et qu'elle intriguait auprès de son supérieur provincial pour que Caussade fût renvoyé à Nancy. Celui-ci l'exhorte à la résignation et, bien sûr, à l'abandon à la Providence. C'est le Saint-Esprit qui est le véritable directeur, et Dieu ne permettra pas que la dame reste sans directeur de rechange. Les prières de celle-ci, ou ses manœuvres, furent exaucées, puisque Caussade fut renvoyé à Nancy en 1733 pour six ans. Seul témoin à peu près assuré de l'écriture caussadienne, échappant aux « corrections » et aux « améliorations » que faisaient subir les copistes, en toute bonne foi, aux textes qu'elles copiaient et recopiaient inlassablement, le style de cette série de lettres est aux antipodes du lyrisme du traité.

Si le traité n'est pas de la main de Caussade, qui en est l'auteur ? J. Gagey croit pouvoir affirmer que c'est précisément la dirigée de Caussade, la « dame lorraine » anonyme[9]. Mais son argumentation est peu convaincante. Rien ne prouve que l'auteur soit une femme (voir la Règle d'édition ci-après). D'ailleurs les lettres que Caussade écrivit à cette dame manifestent qu'elle était trop peu « abandonnée » pour pouvoir écrire sur le sujet avec tant d'éloquence et de culture biblique et spirituelle. On se bornera à constater que l'auteur, homme ou femme, religieux ou laïc, était imprégné de la spiritualité de Madame Guyon, fort prisée à la Visitation, notamment au monastère de la Visitation de Nancy à l'époque où Caussade le fréquentait. On sait en effet qu'après la condamnation de Fénelon, sa spiritualité et celle de Madame Guyon continuèrent à nourrir les âmes, dans la confidentialité de la direction de conscience et par la discrète circulation de manuscrits. La Visitation de Nancy fut l'un des foyers privilégiés de cette spiritualité[10]. La rela-

---

9. J. Gagey a résumé les résultats de ses recherches en vue de sa thèse de doctorat dans : *L'Abandon à la Providence divine* d'une dame lorraine au XVIIIe siècle, suivi des *Lettres spirituelles de Jean-Pierre Caussade à cette dame*. Édition critique du *Traité où l'on découvre la vraie science de la perfection du salut* et des écrits spirituels de Jean-Pierre Caussade présentée par Jacques Gagey, Éditions Jérôme Millon, Grenoble, 2001.

10. Voir J. Le Brun, *Les opuscules spirituels de Bossuet.*

tion avec Madame Guyon est directe. En effet, la Mère de Bassompière, morte à Nancy en 1734, avait été supérieure de la Visitation de Meaux de 1718 à 1724. Or c'est dans ce monastère que Madame Guyon avait séjourné pour être examinée par Bossuet, de janvier à juillet 1695. Loin d'avoir été mise en quarantaine, elle avait au contraire profondément et durablement impressionné la communauté des Visitandines. Il n'est donc pas étonnant que, par l'intermédiaire de Mère de Bassompierre au moins, la Visitation de Nancy ait été un des centres de reproduction, ou de production, de toute une littérature d'inspiration guyonienne. Le Caussade historique, l'auteur des trente-deux lettres à la « dame lorraine » et collaborateur du P. Antoine pour la composition des *Instructions spirituelles*, avait montré des affinités avec cette spiritualité. Il était tentant, pour des Visitandines, de lui attribuer la paternité de *L'Abandon à la Providence divine* depuis qu'en 1748 son nom était apparu, à côté de celui du P. Antoine, dans un Avis au lecteur de la deuxième édition des *Instructions spirituelles* : il était devenu un « auteur », donc une « autorité ».

L'Abandon à la Providence divine fait figure de superbe rejeton de la tradition guyonienne, qui se réclamait de François de Sales, fondateur de la Visitation, et qui inspirera notamment le P. Grou puis, au XIXᵉ siècle, la spiritualité dite de l'abandon ou de l'enfance, illustrée par Mgr Gay

---

Recherches sur la tradition nancéienne, Université de Nancy, 1970.

et Thérèse de Lisieux. C'est un texte d'une seule venue, comme le souligne J. Gagey, parfaitement cohérent et dans lequel la pensée progresse par vagues successives. Il fut composé à l'époque où l'irréligion commençait d'avoir pignon sur rue, où se préparaient la Révolution et les grandes épreuves que traversera le christianisme au XIXᵉ et au XXᵉ siècle. Au siècle des Lumières, quelque chose comme un pressentiment parcourt *L'Abandon à la Providence divine*, surtout dans ses derniers chapitres. Il n'est donc pas surprenant que, lorsqu'il parut, à la fin du XIXᵉ siècle, les catholiques français lui aient fait un triomphe. Une esquisse de la doctrine dont il est porteur montre qu'on peut y trouver une spiritualité pour temps d'adversité.

L'événement et « l'ordre de Dieu »

« Ce qui nous arrive à chaque moment par l'ordre de Dieu est ce qu'il y a de plus saint, de meilleur et de plus divin pour nous. Toute notre science consiste à connaître cet ordre au moment présent » (VII, 81 [11]).

La spiritualité de l'abandon et du moment présent (de l'abandon au moment présent) repose sur ce postulat, ou plutôt cet acte de foi, constamment réaffirmé au cours du traité. « Ce qui nous arrive » (belle définition de l'« événement »),

---

11. Les chiffres romains renvoient au chapitre, les chiffres arabes à la pagination du manuscrit, indiquée en marge du texte.

dans la succession des « moments » qui constituent notre vie, est l'expression de « l'ordre de Dieu » (le péché évidemment excepté, mais non ses conséquences). « L'ordre » : le terme renvoie à l'une des notions clés du système de représentations, profanes et religieuses, de l'époque. Dans le traité, où il figure dès la deuxième phrase, il désigne habituellement le dessein bienveillant de Dieu en ce qu'il a d'objectif (son « plan »), sa volonté, si souvent cachée et déconcertante dans ses manifestations. Le traité le confirme lui-même, avec le souci de simplification qui est la marque du guyonisme : « L'ordre de Dieu, le bon plaisir de Dieu, la volonté de Dieu, l'action de Dieu, la grâce, tout cela est une même chose… » (VII, 80). Un mot résume « tout cela », un mot qui, depuis le XVIIᵉ siècle, devient de plus en plus fréquent dans le discours spirituel et religieux : la Providence.

Le traité renvoie à un temps tout entier soumis à l'ordre de la Providence. C'est, au siècle des Lumières, la représentation du monde qui était, au VIᵉ siècle, celle de Denys l'Aréopagite et qu'avait perpétuée la tradition mystique jusqu'à Madame Guyon : « L'action divine inonde l'univers, elle pénètre toutes les créatures, elle les surnage ; partout où elles sont, elle y est ; elle les devance, elle les accompagne, elle les suit. Il n'y a qu'à se laisser emporter par ses ondes » (I, 7). « Il n'y a qu'à », « il ne s'agit que de » : ces marqueurs du discours mystique, si fréquents chez Madame Guyon comme dans le traité, définissent la conduite de l'âme croyante. Cette conduite est « simple » et

21

« facile ». Il suffit de remplir son « devoir d'état » et ses devoirs de chrétien, et de faire face aux événements inattendus : « Plût à Dieu que les rois et leurs ministres, les princes de l'Église et du monde, les prêtres, les soldats, les bourgeois, etc., en un mot tous les hommes connussent combien il leur serait facile d'arriver à une éminente sainteté ! Il ne s'agit pour eux que de remplir fidèlement les simples devoirs du christianisme et de leur état, d'embrasser avec soumission les croix qui s'y trouvent attachées et de se soumettre à l'ordre de la Providence pour tout ce qui se présente à faire et à souffrir [supporter] incessamment [sans cesse] sans qu'ils le cherchent » (I, 7-8). Comme chez Denys, l'ordre hiérarchique, devenu ici ordre social, est déjà par lui-même reflet de l'ordre divin, vecteur privilégié de l'action divine. Celle-ci baigne littéralement la créature. L'auteur ne recule pas devant les métaphores les plus physiques : « Il n'y a qu'à recevoir tout et laisser faire. Tout vous dirige, vous redresse et vous porte. Tout est bannière, litière et voiture commode. Tout est main de Dieu, tout est terre, air, eau divine. Son action est plus étendue, plus présente que les éléments ; *il entre en vous par tous vos sens* » (IX, 136). Comment ne pas songer ici, plus encore qu'à Denys, à Claudel, en dépit des protestations que susciterait chez celui-ci tout rapprochement avec la mystique, celle du *Cantique spirituel* de Jean de la Croix par exemple ?

« L'évangile dans les cœurs »

Cette conformité du traité à l'ordre mystique traditionnel se reflète aussi dans la distinction fondamentale, reprise de François de Sales dans sa terminologie même, entre les deux manières dont peut se manifester la volonté de Dieu. Celle-ci se fait connaître d'abord dans les commandements et devoirs qui s'imposent à tout chrétien en général ainsi que dans ceux qui s'adressent à chaque individu en fonction de son « état », c'est-à-dire de sa condition : commandements de Dieu et de l'Église ainsi que devoir d'état représentent, pour F. de Sales, la « volonté de Dieu signifiée », et clairement signifiée (*Traité de l'Amour de Dieu*, livre VIII). Il s'agit, déclare *L'Abandon*, de « remplir fidèlement le devoir présent au gré de sa volonté signifiée, sans se permettre nulle réflexion, nul retour ni examen des suites, des causes, des raisons. Il doit leur suffire de marcher en simplicité dans le pur devoir, comme s'il n'y avait au monde que Dieu et cette pressante obligation. Le moment présent est donc comme un désert où l'âme simple ne voit que Dieu seul, dont elle jouit, n'étant occupée que de ce qu'il veut d'elle : tout le reste est laissé, oublié, abandonné à la Providence » (II, 19).

Beaucoup moins claire dans ses manifestations est, en revanche, ce que le traité appelle, toujours à la suite de F. de Sales (livre IX), la « volonté absolue et de bon plaisir ». Elle se manifeste dans « l'événement » en ce qu'il peut avoir d'imprévu et généralement de fâcheux, en tout cas de déroutant par rapport à la « volonté signifiée » : une contrariété, une maladie, un accident, une situation embarrassante, voire un drame. La conduite à tenir, « c'est une dépendance du bon plaisir de Dieu et une passiveté continuelle pour être et pour agir », c'est-à-dire la docilité à l'Esprit dans « l'indifférence », l'absence de recherche de soi. En effet, ce que Dieu manifeste alors, c'est « sa volonté inconnue, sa volonté de hasard, de rencontre et, pour ainsi dire, d'aventure. Je l'appellerai, si vous voulez, sa volonté de pure providence, pour la distinguer de celle qui nous marque des obligations précises, dont personne ne se doit dispenser » (II, 13).

Une image récurrente fait écho à ces deux formes d'expression de la volonté de Dieu, celle des deux « livres » où s'inscrit cette volonté : l'Écriture et l'Histoire. Ainsi : « La parole de Dieu est pleine de mystères, sa parole exécutée dans les événements du monde ne l'est pas moins. Ces deux livres sont vraiment scellés. La lettre de tous les deux tue » (IX, 123). L'abandon est la clé herméneutique commune à ces deux écritures. Cette science interprétative ne s'apprend que par l'expérience. Elle a les traits que revendique traditionnellement la mystique, cette « science expérimentale » (Surin), à commencer par le dédain pour le savoir théologique : « Ce n'est pas par les livres, ni par la curieuse recherche des histoires que l'on devient savant dans la science de Dieu : cela n'est qu'une science vaine et confuse qui enfle beaucoup. Ce qui nous instruit, c'est ce qui nous arrive d'un moment à l'autre, qui forme en nous cette science expérimentale que Jésus Christ a voulu avoir avant que d'enseigner » (IX, 127). Aussi bien le second livre, l'Histoire, pourrait-il devenir le Livre de vie et n'être que la suite du premier si les âmes étaient dociles à l'action de Dieu : « Si les âmes savaient s'unir à cette action, leur vie ne serait qu'une suite de divines écritures qui, jusqu'à la fin du monde, se continue, non avec de l'encre et le papier, mais sur les cœurs […] La suite du Nouveau Testament s'écrit donc présentement par des actions et des souffrances. Les âmes saintes ont succédé aux prophètes et aux Apôtres, non pour écrire des livres canoniques, mais pour continuer l'histoire de l'action divine par leur vie dont les moments sont autant de syllabes et de phrases par lesquelles cette action s'exprime d'une manière vivante » (IX, 139-140).

C'est en effet la vie même du Christ qui se poursuit dans les âmes abandonnées : « Nous sommes dans les siècles de la foi. Le Saint-Esprit n'écrit plus d'évangile que dans les cœurs. Toutes les actions, tous les moments des saints sont l'évangile du Saint-Esprit. Les âmes saintes sont le papier, leurs souffrances et leurs actions sont l'encre. Le Saint-Esprit, par la plume de son action, écrit un évangile vivant. Et on ne pourra le lire qu'au jour de la gloire où, après être sorti de la presse de cette vie, on le publiera » (XI, 193). Alors apparaîtra la différence, typique du discours mystique et toujours soupçonnée d'illuminisme, entre deux types d'âmes : les âmes « qui vivent en Dieu » et celles « en qui Dieu

vit » (II, 9) ; autrement dit, l'« âme dévote »,
d'une part, qui met sa confiance dans ses
« pratiques » et ses progrès dans la vertu, et
l'« âme intérieure », d'autre part, l'âme
d'abandon, qui « aime mieux s'égarer en s'abandonnant à [la] conduite [de l'Époux] qui la mène
sans raison et sans ordre, que de s'assurer en
prenant avec effort les routes marquées de la
vertu » (XI, 178).

« Un Dieu si caché et inconnu »

« Laisser faire Dieu et [faire] ce qu'il exige
de nous, voilà l'Évangile, voilà l'Écriture générale et la loi commune. Voilà donc le facile, le
clair, la propre action de tous les instruments
divins. C'est l'unique secret de l'abandon, mais
secret sans secret, art sans art. C'est la voie
droite » (XI, 189-190). Le précepte peut sembler
aisé à suivre dans le train de la vie ordinaire,
conventuelle ou séculière. Alors, en effet, « le
moment présent est toujours comme un ambassadeur qui déclare l'ordre de Dieu, le cœur
prononce toujours le fiat » (IX, 146-147). Mais
l'ordre de Dieu est loin d'avoir toujours cette
évidence. Est-on tenu de le voir toujours à
l'œuvre lorsque se produit, dans la vie d'un individu, d'une communauté, d'une nation un événement ou un enchaînement d'événements qui
semblent le contredire, insidieusement ou
violemment ?

C'est à ce genre de situation que le traité
consacre ses développements les plus insistants.

Comme si le climat habituel d'une vie d'abandon était l'obscurité de la foi. Le traité fait écho hardiment aux propos de l'Aréopagite sur la lumière divine qui ne se manifeste que comme ténèbres ou à ce que Jean de la Croix écrivait de la nuit : « Dieu est le centre de la foi, c'est un abîme de ténèbres qui, de ce fond, se répandent sur toutes les productions qui en sortent. Toutes ses paroles, toutes ses œuvres ne sont pour ainsi dire que des rayons obscurs de ce soleil encore plus obscur. Nous ouvrons les yeux du corps pour voir le soleil et ses rayons, mais les yeux de notre âme, par lesquels nous voyons Dieu et ses ouvrages, sont des yeux fermés. Les ténèbres tiennent ici la place de la lumière, la connaissance est une ignorance et on voit en ne voyant pas. L'Écriture sainte est une parole obscure d'un Dieu encore plus obscur. Les événements du siècle sont des paroles obscures de ce même Dieu si caché et inconnu » (IX, 124).

Le traité présente de longues variations sur cette obscurité enveloppant l'âme abandonnée qui ne cherche que son Dieu : « La vie de la foi n'est qu'une poursuite continuelle de Dieu au travers de ce qui le déguise, le défigure, le détruit, pour ainsi dire, et l'anéantit » (IX, 122). Une image, celle de la tapisserie, illustre la conviction de l'auteur : « L'ouvrage [...] se fait à peu près comme les superbes tapisseries qui se travaillent point par point et à l'envers. L'ouvrier qui s'y emploie ne voit que son point et son aiguille, et tous ces points emplis successivement font des figures magnifiques qui ne paraissent que lorsque, toutes les parties étant achevées, on expose le beau côté au jour. Mais pendant le temps du travail, tout ce beau et merveilleux est dans l'obscurité [...] Plus [l'âme] s'applique à son petit ouvrage tout simple et tout caché, tout secret et tout méprisable qu'il est à l'extérieur, plus Dieu le diversifie, l'embellit, l'enrichit par la broderie et les couleurs qu'il y mêle » (VII, 102 et 106). Thérèse de Lisieux n'aurait pas désavoué ces lignes.

Mystique pour temps de crise

On entrevoit à quel point le traité de *L'Abandon* s'inscrit dans la continuité de la tradition mystique telle qu'elle avait pu s'exprimer encore publiquement au XVIIe siècle. On comprend surtout pourquoi les catholiques, ceux de la fin du XIXe siècle jusqu'à nos contemporains, ont trouvé et trouvent dans ce petit traité les ressources nécessaires à leur vie spirituelle. S'y esquisse en effet une mystique pour temps de crise ; une crise qui s'était amorcée à l'aube des temps modernes et qui s'est accentuée tout au long du XXe siècle.

Le temps n'est plus où le monde était plein de Dieu et ne parlait que de lui. Pascal l'avait déjà compris : la preuve de l'existence de Dieu par l'harmonie de la nature et du cosmos n'a plus de prise sur les esprits forts. C'est dans l'« intérieur » désormais, dans le « château de l'âme » que Dieu se cache et se laisse rencontrer, dans l'expérience intérieure. Celui qui se découvre alors n'est plus le maître de l'espace ni de l'ordre social puisque ceux-ci sont désormais désenchantés. Il ne reste plus au Dieu caché que le temps – l'histoire, les événements. Mais, à partir de la Renaissance, le dessein de Dieu dans le cours des événements devient lui-même de moins en moins lisible : l'éclatement de l'Église d'Occident, le traumatisme des guerres de religions, plus tard la montée de « l'irréligion », la Révolution française, les combats autour de la laïcité, la séparation, en France, de l'Église et de l'État, les conflits mondiaux, les pestes rouge et brune, la marginalisation progressive de l'Église dans les sociétés modernes brouillent le sens et font de plus en plus appel aux yeux de la foi. Lorsque la présence de Dieu n'est plus lisible dans l'histoire, il ne reste plus à l'âme croyante, pour adhérer à lui, que l'instant présent : ce moment sans épaisseur et qui sans cesse échappe, mais où l'on peut adorer Celui qui ne se laisse jamais saisir (« Ne me touche pas ! ») et ne se montre que de dos. Si la représentation de Dieu comme « Providence » et la posture corrélative de l'« abandon » ont connu, à partir du XVIIe siècle, une importance croissante dans le discours religieux et spirituel, c'est justement parce que le visage traditionnel de Dieu provident se manifestait de moins en moins dans le cours des événements et relevait de plus en plus de la pure foi : c'est toujours l'absence qui fait parler.

Certes nos contemporains n'osent plus utiliser le mot Providence. L'éclipse de Dieu et l'effondrement des formes institutionnelles de la religion dans les sociétés démocratiques et technologiquement avancées deviennent décidément trop massifs et apparemment irréversibles. Mais cela n'empêche pas les croyants, au contraire, d'adhérer, au plus profond de leur cœur, au Dieu dont leur parle le traité de *L'Abandon* : un Dieu dont l'action n'est certes plus manifeste dans l'histoire des peuples ni dans celle des familles et des individus ; un Dieu qui ne se « transmet » plus. Mais un Dieu qui n'en est pas moins présent dans l'événement où il se cache, comme il semblait se cacher aux yeux du Christ en sa passion (figure privilégiée par le traité comme par la tradition mystique). Le Dieu de ces croyants-là n'est pas l'idole dont on a proclamé la mort. Leur Dieu, c'est un Dieu plus que jamais humble et mystérieux. Un Dieu qui invite à « laisser faire », à « lâcher prise », sans dispenser de s'engager dans la cité et dans l'histoire.

Plus que jamais, il apparaît que mener une vie spirituelle ou mystique, ce n'est pas être en quête de sensations exquises, vivre de signes confondants ou d'états d'âme incommunicables. C'est vivre de la foi, croire à ce qu'on ne voit pas (Heb 11, 1). La foi pure comme autre nom de l'abandon : le traité en résume la portée dans ses dernières lignes : « Quand une âme a reçu cette intelligence de la foi, Dieu lui parle par toutes les créatures ; l'univers est pour elle une écriture vivante que le doigt de Dieu trace incessamment devant ses yeux. L'histoire de tous les moments qui coulent est une histoire sainte » (XI, 198).

Cette édition suit le manuscrit dit de Montmirail, déjà publié par M. Olphe-Galliard et par J. Gagey. Elle diffère de leurs éditions, qui elles-mêmes diffèrent l'une de l'autre.

Le manuscrit est une copie. L'original a pu être composé dans la première moitié du XVIIIᵉ siècle. Le titre qui lui a été donné ainsi que les deux Avis préliminaires ne sont évidemment pas dus à l'auteur. Il en va de même, sans doute, des titres attribués aux chapitres. Les Avis sont reproduits en annexe, avec la Table des matières.

L'écriture est parfaitement lisible. Quelques fautes de lecture sont manifestes.

L'orthographe du manuscrit est modernisée et corrigée, pour faciliter la lecture. L'usage du temps voulait par exemple qu'avec deux sujets le verbe restât au singulier ou qu'un adjectif commun à deux ou plusieurs noms ne s'accordât qu'avec le plus rapproché. Lorsque les corrections risquent d'affecter le sens de la phrase, la leçon du manuscrit est indiquée en note. On constate par ailleurs dans le manuscrit une tendance à la féminisation : on trouve des tournures au féminin là où l'on attend le masculin ou le neutre (on observe aussi parfois l'inverse). Cette tendance, commune aux manuscrits du temps, s'explique d'abord par le fait que les copistes étaient généralement des femmes. Par ailleurs, lorsqu'il est question de l'« âme », les auteurs comme les copistes passaient facilement d'un genre à l'autre, parfois au cours d'une même phrase, l'âme pouvant être masculine ou féminine. On ne saurait tirer de ces usages aucune conclusion définitive sur le sexe de l'auteur. Les tournures au féminin ont été maintenues dans le texte ou signalées en note, lorsqu'il ne s'agit pas d'étourderies manifestes (par exemple : « ils vivent cachées »).

La ponctuation aussi a été modernisée. Nous mettons

aujourd'hui un point là où l'on mettait un point-virgule, deux points, voire une simple virgule.

Des alinéas interviennent plus souvent que dans le manuscrit. Le découpage en onze chapitres a été respecté. On a rectifié l'erreur de la copiste qui s'est trompée dans leur numérotation à partir du septième. La pagination du manuscrit est indiquée en marge du texte, pour faciliter les références.

Lorsque le texte semble corrompu, la correction apportée est signalée : une note fournit la leçon du manuscrit. Le rétablissement d'une omission est mis entre crochets, comme l'ajout d'un mot nécessaire pour éclairer le sens.

Les citations bibliques en latin suivent le texte de la Vulgate, parfois librement. Les références fournies par les notes renvoient à la Bible de Jérusalem.

La date de la rédaction de la copie est inconnue, antérieure en tout cas à la Révolution française. Le manuscrit est déposé aux archives des religieuses de Nazareth, 17 rue de Montléan, 51210 Montmirail.

I

De quelles façons Dieu nous parle et comment nous devons l'écouter

Dieu parle encore aujourd'hui comme il parlait autrefois à nos pères, lorsqu'il n'y avait ni directeur ni méthodes. Le moment de l'ordre de Dieu faisait toute la spiritualité. Elle n'était pas réduite en art qui l'expliquât d'une manière si sublime et si détaillée et qui en renfermât tant de préceptes et d'instructions, de maximes. Nos besoins présents l'exigent sans doute. Il n'en était pas ainsi des premiers âges où l'on avait plus de droiture et de simplicité. On y savait seulement que chaque moment amène un devoir qu'il faut remplir avec fidélité. C'en était assez pour les spirituels d'alors, toute leur attention s'y concentrait successivement. Semblable à l'aiguille qui marque les heures et qui répond à chaque minute à l'espace qu'elle doit parcourir, leur esprit, mû sans cesse par l'impulsion divine, se trouvait insensiblement tourné vers le nouvel objet qui, selon Dieu, s'offrait à chaque heure du jour.

Tels étaient les ressorts cachés de toute la

conduite de Marie, la plus simple et la plus abandonnée des créatures. La réponse qu'elle fit à
l'ange, quand elle se contenta de lui dire : *fiat
mihi secundum verbum*[1], rendait toute la théologie mystique de ses ancêtres. Tout s'y rédui-
sait comme à présent au plus pur et au plus
simple abandon de l'âme à la volonté de Dieu,
sous quelque forme[2] qu'elle se présentait. Cette
haute et belle disposition, qui faisait tout le fond
de l'âme de Marie, éclate admirablement dans
cette parole toute simple : *fiat mihi*. Remarquez
qu'elle s'accorde parfaitement avec celle que
notre Seigneur veut que nous ayons sans cesse à
la bouche et au cœur : *fiat voluntas tua*[3]. Il est
vrai que ce qu'on exigeait de Marie dans ce
moment célèbre était bien glorieux pour elle,
mais tout l'éclat de cette gloire n'eût point fait
d'impression sur elle si la volonté de Dieu, seule
capable de la toucher, n'y eût arrêté ses regards.
C'était cette divine volonté qui la réglait en tout.
Que ses occupations fussent communes ou
relevées, ce n'étaient à ses yeux que des ombres
plus ou moins brillantes dans lesquelles elle
trouvait également et de quoi glorifier Dieu et
reconnaître les opérations du Tout-puissant. Son
esprit ravi de joie regardait tout ce qu'elle avait
à faire ou à souffrir à chaque moment comme un
don de cette main qui remplit de biens un cœur

4

---

1. « Qu'il m'advienne selon ta parole » (*Luc* 1, 38).
2. Ms : *qu'elle forme.*
3. « Que ta volonté soit faite. »

qui ne se nourrit que de lui, et non de l'espèce[4] et de l'apparence créées.

La vertu du Très-Haut la couvrit de son ombre et cette ombre n'était que ce que chaque moment présentait de devoir, d'attraits et de croix. Ce ne sont là, en effet, que des ombres comme celles 5 à qui nous donnons ce nom dans l'ordre de la nature et qui se répandent sur des objets sensibles, comme un voile qui nous les cache. Celles-ci, dans l'ordre moral et surnaturel, sous leurs obscures apparences, recèlent la vérité du divin vouloir qui seule y mérite notre attention. Ainsi Marie se trouvait-elle toujours disposée. Aussi ces ombres, s'écoulant sur ses facultés, bien loin de lui faire illusion, remplissaient sa foi de celui qui est toujours le même. Retirez-vous, archange, vous êtes une ombre, votre moment vole et vous disparaissez. Marie vous passe et va toujours en avant, vous êtes désormais loin d'elle. Mais l'Esprit Saint, qui vient de la pénétrer, sous ce sensible, de cette mission, ne l'abandonnera jamais.

Il y a peu de cet extraordinaire apparent dans la Sainte Vierge ; au moins, ce n'est pas ce que l'Écriture y fait remarquer. Sa vie est représentée 6 très simple et commune à l'extérieur. Elle fait et souffre ce que font et souffrent les personnes de son état. Elle va visiter sa cousine Élisabeth, les autres parents y vont aussi comme elle. Marie va

---

4. Le mot *espèces* (généralement au pluriel) désignait, dans la philosophie ancienne, l'apparence des objets, perçue par les sens et transmise à l'intelligence. En ce sens : 37, 51, 59, 82, 86.

se faire inscrire à Bethléem, les autres y vont aussi. Elle se retire dans une étable, c'est une suite de sa pauvreté. Elle retourne à Nazareth, la persécution d'Hérode l'en avait éloignée.

Jésus et Joseph y vivaient de leur travail avec elle : voilà le pain quotidien de la sainte Famille. Mais de quel pain se nourrit la foi de Marie et de Joseph ? Quel est le sacrement de leurs sacrés moments ? Qu'y[5] découvrent-ils sous l'apparence commune des événements qui les remplissent ? Ce qu'il y a de visible est semblable à ce qui arrive au reste des hommes, mais l'invisible que la foi y découvre et démêle, ce n'est rien de moins que Dieu opérant de très grandes choses. Ô pain des anges, manne céleste, perle évangélique, sacrement du moment présent ! tu donnes Dieu sous des apparences aussi viles que l'étable, la crèche, le foin, la paille. Mais à qui te donnes-tu ? *Esurientes reples bonis*[6] : Dieu se révèle aux petits dans les plus petites choses, et les grands ne s'attachent qu'à l'écorce, ne le découvrant pas même dans les grandes.

Mais quel est le secret de trouver ce trésor, ce grain de moutarde, cette drachme[7] ? Il n'y en a point. Ce trésor est partout, il s'offre à nous en tout temps, en tout lieu, comme Dieu. Toutes les créatures amies et ennemies le versent à pleines mains et le[8] font couler par toutes les facultés de nos corps et de nos âmes jusqu'au centre de nos

---

5. Ms : *Qui.*
6. « Tu combles de biens les affamés » (cf. *Luc* 1, 53).
7. Cf. *Matthieu* 13, 31 et *Luc* 15, 6.
8. Ms : *la.*

cœurs : ouvrons notre bouche et elle sera remplie[9]. L'action divine inonde l'univers, elle pénètre toutes les créatures, elle les surnage. Partout où elles sont, elle y est. Elle les devance, elle les accompagne, elle les suit. Il n'y a qu'à se laisser emporter à ses ondes. Plût à Dieu que les rois et leurs ministres, les princes de l'Église et du monde, les prêtres, les soldats, les bourgeois, etc., en un mot tous les hommes connussent combien il leur serait facile d'arriver à une 8 éminente sainteté ! Il ne s'agit pour eux que de remplir fidèlement les simples devoirs du christianisme et de leur état, d'embrasser avec soumission les croix qui s'y trouvent attachées et de se soumettre à l'ordre de la providence pour tout ce qui se présente à faire et à souffrir incessamment sans qu'ils le cherchent. C'est là cette spiritualité qui a sanctifié les Patriarches et les Prophètes avant qu'on y eût mis tant de façons et qu'il y eût tant de maîtres. C'est là la spiritualité de tous les âges et de tous les états, qui ne peuvent être assurément sanctifiés d'une manière plus haute, plus extraordinaire et en même temps plus aisée que par le simple usage de ce que Dieu, l'unique directeur des âmes, leur donne à chaque moment de faire ou à souffrir, soit pour obéir aux lois de l'Église ou à celles du prince. Si cela était, les prêtres ne seraient guère nécessaires que pour les sacrements, on se passerait d'eux pour tout le reste que l'on trouverait sous 9 sa main à tout moment. Et les âmes simples, qui ne se donnent point de relâche pour consulter sur

---

9. Cf. « Ouvre ta bouche et je l'emplirai » (*Psaume* 81, 11).

les moyens d'aller à Dieu, seraient délivrées des pesants et dangereux fardeaux que ceux d'entre eux qui se plaisent à les maîtriser leur imposent sans nécessité.

II

Manière d'opérer dans l'état d'abandon et de passiveté[1], et avant que d'y arriver

Il y a un temps auquel l'âme vit en Dieu et il y en a un auquel Dieu vit en l'âme. Ce qui est propre à l'un de ces temps est contraire à l'autre. Lorsque Dieu vit en l'âme, elle doit s'abandonner totalement à sa providence. Lorsque l'âme vit en Dieu, elle se pourvoit avec soin et très régulièrement de tous les moyens dont elle peut s'aviser pour la conduire à cette union. Toutes ses routes sont marquées, ses lectures, ses comptes, ses revues ; son guide est à ses côtés et, jusqu'aux heures de parler, tout est réglé.

Quand Dieu vit dans l'âme, elle n'a plus rien comme d'elle-même. Elle n'a que ce que lui

10

---

1. Dans le discours mystique, le mot « passiveté » désigne la docilité de l'âme purifiée et unie à Dieu. Il est l'écho du *divina pati* de Denys l'Aréopagite (« pâtir les choses divines »). Au cours du XVIIᵉ siècle, le mot prit progressivement, dans la langue courante, son sens moderne, péjorativement connoté : aboulie, absence d'initiative (connotations évidemment absentes de l'usage mystique). La forme même du mot s'altéra en « passivité ». Il est remarquable que le manuscrit ait conservé la forme ancienne.

donne au moment le principe qui l'anime : point de provisions, plus de chemins tracés. C'est comme un enfant qu'on mène où l'on veut et qui n'a que le seul sentiment[2] pour distinguer les choses qu'on lui présente. Plus de livres marqués pour cette âme, assez souvent elle est privée de directeur arrêté. Dieu la laisse sans autre appui que lui seul. Sa demeure est dans les ténèbres, l'oubli, l'abandon, la mort et le néant. Elle sent ses besoins et ses misères sans savoir par où ni quand elle sera secourue. Elle attend en paix et sans inquiétude qu'on vienne l'assister, ses yeux ne regardent que le ciel. Dieu, qui ne trouve point dans son épouse de plus pure disposition que cette totale démission de tout ce qu'elle est pour n'être que par grâce et par opération divine, lui fournit à propos les livres, les pensées, les vues d'elle-même, les avis, les conseils, les exemples des sages. Tout ce que les autres trouvent par leurs soins, cette âme le reçoit dans son abandon ; et ce que les autres gardent avec précaution pour le retrouver quand il leur plaît, celle-ci le reçoit au moment du besoin et le laisse, n'en admettant précisément que ce que Dieu veut bien en donner, pour ne vivre que par lui.

Les autres entreprennent pour la gloire de Dieu une infinité de choses. Celle-ci souvent est dans un coin de la terre comme un reste de pot cassé dont on ne s'avise pas de chercher aucun service. Là, cette âme délaissée des créatures,

---

2. Au sens ancien de faculté de sentir, d'éprouver, de percevoir.

mais dans la jouissance de Dieu par un amour très réel, très véritable, très actif quoique infus dans le repos, ne se porte à aucune chose de son propre mouvement. Elle ne sait que se laisser et se remettre entre les mains de Dieu pour le servir en la manière qu'il connaît. Souvent, elle ignore à quoi elle sert, mais Dieu le sait bien. Les hommes la croient inutile, les apparences favorisent ce jugement. Il n'en est pas moins vrai que, par de secrètes ressources et par des canaux inconnus, elle répand une infinité de grâces sur des personnes souvent qui n'y pensent point et auxquelles elle ne pense pas.

Tout est efficace, tout prêche, tout est apostolique dans ces âmes solitaires. Dieu donne à leur silence, à leur repos, à leur oubli, à leur détachement, à leurs paroles, à leurs gestes, une certaine vertu qui opère à leur insu dans les âmes. Et, comme elles sont dirigées par les actions occasionnelles de mille créatures dont la grâce se sert pour les instruire sans qu'elles y pensent, aussi servent-elles de soutien de direction à plusieurs âmes, sans qu'il y ait aucune liaison expresse ni engagement pour cela. C'est Dieu qui opère en elles, mais par mouvement imprévu et souvent inconnu, en sorte que ces âmes sont comme Jésus dont il sortait une vertu secrète qui guérissait les autres[3]. Entre elles et lui, il y a cette différence que souvent elles ne sentent point l'écoulement de cette vertu et même qu'elles n'y contribuent point par coopération. C'est comme

_____

3. Cf. *Luc* 6, 19 et 8, 46.

13   un baume caché que l'on sent sans le connaître et qui ne sait pas lui-même sa vertu.

L'état auquel celui de ces âmes me paraît ressembler davantage, c'est l'état de Jésus et de la sainte Vierge et de saint Joseph. C'est donc une dépendance du bon plaisir de Dieu et une passiveté continuelle pour être et agir, mû par ce bon plaisir de Dieu[4] dont il est ici question[5]. Ce qu'il faut bien remarquer est sa volonté inconnue, sa volonté de hasard, de rencontre et, pour ainsi dire, d'aventure. Je l'appellerai, si vous voulez, sa volonté de pure providence, pour la distinguer de celle qui nous marque des obligations précises, dont personne ne se doit dispenser, laissant à part cette volonté spécifiée et déterminée[6]. Je dis que ces âmes dont je parle sont par état dans [la dépendance] de l'autre [volonté] que je nomme de pure providence[7]. Il arrive de là que leur vie, quoique très extraordinaire, n'offre cependant rien que de commun et de fort ordinaire. Elles remplissent les devoirs de

---

4. Ms : *être, agir et mû par ce bon plaisir de Dieu.*

5. L'« état » ainsi défini est donc à entendre, comme souvent dans le traité, en son sens spirituel, consacré par Bérulle : « état d'abandon », par exemple. Mais le mot a aussi, bien souvent, le sens ancien de « condition sociale », « métier », comme dans les expressions : « état de vie », « devoir d'état ».

6. Cette distinction capitale, en Dieu, entre sa « volonté de bon plaisir » ou « de providence » (qui se manifeste dans les événements, de manière voilée) et, d'autre part, sa « volonté signifiée » (qui se manifeste explicitement dans ses commandements et dans le devoir d'état) est reprise de François de Sales (*Traité de l'amour de Dieu*, livres 8 et 9).

7. Ms : *sont par état dans l'état de l'autre que je nomme de pure providence.*

la religion et de leur état, les autres en font   14
autant en apparence que celles-ci. Examinez-les
pour le reste, rien de frappant ni de particulier :
elles sont toutes dans le cours des événements
ordinaires, ce qui peut les faire distinguer ne
tombe point sous les sens. C'est cette dépendance continuelle où elles sont de la volonté
suprême qui semble tout ménager pour elles.
Cette volonté les rend toujours maîtresses
d'elles-mêmes par la soumission habituelle de
leurs cœurs. Cette volonté, dis-je, soit qu'elles y
coopèrent expressément, soit qu'elles y obéis-
sent sans le remarquer, les applique au service
des âmes.

Il n'y a ni honneurs ni revenus pour un emploi
couvert sous la plus grande nudité et inutilité
pour le monde. Ces âmes, par état dégagées de
presque toutes les obligations extérieures, elles
sont peu propres au commerce du monde, aux
affaires, aux soins composés, aux réflexions et
conduites industrieuses. On ne peut s'en servir à
rien, on ne voit en elles que faiblesse de corps   15
et d'esprit, d'imagination, de passions. Elles ne
s'avisent de rien, elles ne pensent à rien, elles
ne prévoient rien, ne prennent cœur à rien. Elles
sont pour ainsi dire toutes brutes. On ne voit rien
en elles de ce que la culture, l'étude, la réflexion
donnent à l'homme. On y voit ce que la nature
offre dans les enfants avant que d'avoir passé
par les mains des maîtres chargés de les former.
L'on remarque leurs petits défauts qui, sans les
rendre plus coupables que ces enfants, choquent
davantage dans elles que dans eux : c'est que
Dieu ôte tout à ces âmes, hors l'innocence, pour

43

qu'elles n'aient que lui seul. Le monde, qui ignore ce mystère, n'en juge que selon les apparences. Aussi n'y trouve-t-il rien de ce qu'il goûte et estime. [Il] les rebute et méprise. Elles sont même comme en butte à tous. Plus on les voit de près, moins on s'y fait, plus on se sent d'oppositions pour elles. On ne sait qu'en dire et penser. Un je ne sais quoi parle cependant à leur faveur[8]. Mais, au lieu de suivre cet instinct, ou du moins de suspendre son jugement, on aime mieux suivre sa malignité : on épie donc leurs actions pour en décider à sa manière et, comme les pharisiens ne pouvaient goûter les manières de Jésus, on les considère avec des yeux si prévenus que tout ce qu'elles font paraît ou ridicule ou criminel.

Hélas ! ces pauvres âmes en pensent elles-mêmes autant à leur désavantage. Unies simplement à Dieu par la foi et l'amour, elles voient tout le sensible chez elles comme dans le désordre, ce qui les prévient[9] d'autant plus lorsqu'elles viennent à se comparer avec ceux qui passent pour des saints et qui, capables d'ailleurs de s'assujettir aux règles et aux méthodes, n'offrent rien que de réglé dans toute leur personne et dans la suite de leurs actions. Alors la vue d'elles-mêmes les couvre de confusion et leur est insupportable. C'est là ce qui tire du fond de leur cœur ces soupirs et ces gémissements amers qui marquent l'excès de la douleur et de l'affliction dont elles sont remplies.

16

17

---

8. En leur faveur.
9. Contre elles-mêmes.

Souvenons-nous que Jésus était Dieu et homme tout ensemble ; il était anéanti comme homme et, comme Dieu, plein de gloire. Ces âmes, sans participer à sa gloire, ne sentent que ces morts et anéantissements qui opèrent dans elles leurs tristes et douloureuses apparences. Elles sont aux yeux du monde comme Jésus était aux yeux d'Hérode et de sa cour.

Il me semble qu'il est aisé de conclure de tout ceci que ces âmes d'abandon ne peuvent pas, comme les autres, s'occuper de désirs, de recherches, de soins ; se lier à certaines personnes, entrer dans de certains desseins, se prescrire de certaines méthodiques manières ou plans concertés de parler, d'agir, de lire. Cela supposerait qu'elles pourraient encore disposer d'elles-mêmes. C'est ce qu'exclut par lui-même l'état d'abandon où elles se trouvent. Cet état en est un où l'on se trouve être à Dieu par une cession pleine et entière de tous ses droits sur soi-même : sur ses paroles, actions, ses pensées, ses démarches, sur l'emploi de ses moments et sur tous les rapports qu'il peut y avoir. Il ne reste qu'un seul désir à remplir, c'est d'avoir toujours les yeux arrêtés sur le Maître qu'on s'est donné, et d'être sans cesse aux écoutes pour deviner et entendre sa volonté et l'exécuter sur-le-champ. Nulle condition ne représente mieux cet état que celle du domestique qui n'est auprès du maître que pour obéir à chaque instant aux ordres qu'il lui plaît [de] lui donner, et non point pour employer son temps à la conduite de ses propres affaires, qu'il doit abandonner afin d'être tout à son maître à tous les moments.

18

19

Ainsi les âmes dont nous parlons sont par état solitaires et libres, dégagées de tout pour se contenter d'aimer en paix le Dieu [qui] les possède, et de remplir fidèlement le devoir présent au gré de sa volonté signifiée, sans se permettre nulle réflexion [10], nul retour ni examen des suites, des causes, des raisons. Il doit leur suffire de marcher en simplicité dans le pur devoir, comme s'il n'y avait au monde que Dieu et cette pressante obligation. Le moment présent est donc comme un désert, où l'âme simple ne voit que Dieu seul, dont elle jouit, n'étant occupée que de ce qu'il veut d'elle. Tout le reste est laissé, oublié, abandonné à la providence.

Cette âme, comme un instrument, ne reçoit et n'opère qu'autant que l'opération intime de Dieu l'occupe passivement en elle-même ou l'applique à l'extérieur. Cette application intérieure est accompagnée de sa part d'une

---

10. Dans la tradition spirituelle, le mot *réflexion* a d'abord un sens théologique. Il désigne le retour sur soi, la recherche de soi et de son intérêt propre (*amor sui*, amour de soi, « amour propre ») qui s'attache à tout acte humain depuis le péché originel. « Incurvation » de l'être sur lui-même, disait saint Bernard. La « réflexion » fait obstacle à la pureté de l'amour, à son désintéressement. Comme telle, elle s'oppose à la sortie de soi, à la spontanéité et à la « simplicité » requises pour l'« abandon ». Au cours du XVIIᵉ siècle, le mot *réflexion* a été progressivement contaminé, dans la littérature spirituelle, par son sens moderne, psychologique : retour de la pensée sur elle-même en vue d'examiner plus à fond une idée, une situation, un problème (dictionnaire Robert). L'usage du mot, dans le présent traité, témoigne de ce glissement de sens, typique de la « laïcisation » des esprits. Le sens théologique traditionnel reste habituellement perceptible, en arrière-fond, comme ici. En tout état de cause, l'auteur n'invite pas à l'absurdité qui consisterait à cesser de penser !

coopération libre et active, mais infuse et mystique. C'est-à-dire que Dieu, trouvant tout ce qu'il faut pour agir s'il l'ordonnait, content de sa bonne disposition, lui en épargne la peine en y mettant ce qui serait autrement le fruit de ses efforts ou de sa bonne volonté effectuée. Comme si quelqu'un, voyant un ami disposé à faire une route, pour lui rendre service pénétrait [11] aussitôt dans cet ami et, sous son apparence, faisait le chemin par sa propre activité, en sorte qu'il ne reste à cet ami que la volonté de marcher, tandis qu'il marcherait par cette voie étrangère. Cette marche serait libre, puisqu'elle serait une suite de la détermination libre de l'ami pour qui l'on en ferait les frais. Elle serait active, puisque ce serait une marche réelle. Elle serait infuse, puisqu'elle se ferait sans action propre. Elle serait enfin mystique, puisque le principe en serait caché.

Mais, pour revenir à l'espèce de coopération que nous expliquons par cette marche imaginaire, remarquez qu'elle est toute différente de la soumission qu'on a à ses obligations : l'action par laquelle on les remplit n'est ni mystique ni infuse, mais libre et active comme on l'entend communément. Ainsi l'obéissance au bon plaisir de Dieu tient tout à fait de l'abandon et de la passiveté. On [n']y met rien du sien, hors l'habitude d'une bonne volonté générale qui veut tout et ne veut rien, étant comme un instrument sans action propre dès qu'il est entre les mains de l'ouvrier : il sert à tous les usages auxquels

20

21

---

11. Ms : *se pénétrait.*

s'étendent sa nature et sa qualité. Au contraire, l'obéissance que l'on rend à la volonté de Dieu signifiée et déterminée est dans l'état commun de vigilance, de soins, d'attentions, de prudence, de discrétion, selon que la grâce aide sensiblement ou laisse aux efforts ordinaires.

On laisse donc agir Dieu pour tout le reste, ne réservant pour soi que l'amour et l'obéissance au devoir présent, car en ce point l'âme agira éternellement. Cet amour de l'âme, infus dans le silence, est une véritable action dont elle se fait obligation perpétuelle. Elle doit, en effet, le conserver sans cesse et se tenir continuellement dans ces dispositions où il la met, ce qu'elle ne peut faire évidemment sans agir. Cette obéissance au devoir présent est aussi une action par laquelle elle se consacre tout entière à la volonté extérieure de Dieu sans attendre rien d'extraordinaire.

Voilà la règle, la méthode, la loi, la voie pure, simple et certaine de cette âme. Loi invariable, elle est de tous les temps, de tous les lieux, de tous les états. C'est une ligne droite où elle marche avec courage et fidélité sans s'écarter ni à droite ni à gauche, et sans s'occuper de ce qui l'excède : tout ce qui est au-delà est reçu passivement et opéré en abandon. En un mot, cette âme est active pour tout ce que prescrit le devoir présent, mais passive et abandonnée pour tout le reste, où elle ne met rien du sien que d'attendre en paix la motion divine.

Rien n'est plus assuré que cette voie simple, comme il n'y a rien de plus clair, de plus aisé, de plus doux ni de moins sujet à l'erreur et illusion :

on y aime Dieu, on y satisfait aux devoirs du   23
christianisme, on fréquente les sacrements, on
produit les actes extérieurs de la religion qui
obligent tout le monde, on obéit aux supérieurs,
les devoirs de l'état sont remplis, la résistance
est continuelle aux mouvements de la chair et
du sang et du démon, car personne n'est plus
attentif et plus vigilant que les âmes de cette voie
pour s'acquitter de toutes leurs obligations.

S'il en est de la sorte, comment se peut-il
qu'elles sont si souvent en butte aux contradictions ? Une des plus ordinaires, c'est qu'après
s'être acquittées comme les autres chrétiens de
ce qu'exigent les docteurs les plus exacts, on
prétend encore les astreindre aux pratiques
gênantes dont l'Église ne fait aucune obligation.
Et, si elle ne s'y prêtent pas, elles sont taxées de
donner dans l'illusion. Mais, répondez-moi, un
chrétien qui se borne aux commandements de
Dieu et de l'Église et qui, du reste, sans médita-
tions, sans contemplation, sans lectures, sans
assujettissements particuliers à la direction,
vaque au commerce du monde, aux autres   24
affaires de la vie civile, est-il donc dans
l'erreur ? On ne s'avise pas de l'en accuser, ni
même de l'en soupçonner. Que l'on s'accorde
donc avec soi-même et, tandis qu'on laisse en
repos le chrétien dont je viens de parler, il est
de la justice de ne pas inquiéter une âme qui
non seulement remplit les préceptes aussi bien
que lui pour le moins, mais qui ajoute de plus
les pratiques intérieures et extérieures de piété
que celui-ci ne connaît pas même (ou, s'il les
connaît, il ne marque que de l'indifférence). La

prévention va jusqu'à assurer, malgré tout, que cette âme s'abuse, se trompe parce qu'après s'être soumise à tout ce que l'Église prescrit, elle se tient libre pour être en état de se livrer sans obstacles aux intimes opérations de Dieu et de suivre les impressions de sa grâce dans tous les moments où rien ne l'oblige expressément. On la condamne en un mot parce qu'elle emploie à aimer son Dieu le temps que les autres donnent au jeu, aux affaires temporelles. N'est-ce pas là une injustice criante ? L'on ne peut trop insister sur ce point. Que quelqu'un se tienne dans le rang et train communs, qu'il se confesse une fois l'an, on n'en parle point, on le laisse vivre en paix, se contentant de l'exhorter dans l'occasion à quelque chose de plus, sans néanmoins le presser trop vivement et sans lui en faire même une obligation. Vient-il à changer en sortant du train commun, voilà qu'on l'accable de maximes, de conduites, de méthodes et, s'il ne se lie et ne s'engage à ce que l'art de la piété a établi, s'il ne le suit constamment, voilà qui est fait : l'on appréhende tout pour lui et sa voie devient suspecte. Ignore-t-on que ces pratiques, toutes bonnes et toutes saintes qu'on les suppose, ne sont après tout que la route qui conduit à l'union divine ? Veut-on donc que l'on soit dans la route, tandis que l'on est au terme ?

Voilà cependant ce que l'on exige de l'âme pour qui l'on craint l'illusion. Cette âme fit le chemin comme les autres au commencement, elle connut comme eux ces pratiques, elle les suivit fidèlement. Vainement aujourd'hui l'efforcerait-on à s'y tenir assujettie. Depuis que Dieu, touché des efforts qu'elle fit pour s'avancer par ce secours, est venu comme au-devant d'elle et a fait son affaire de la conduire à cette union fortunée, depuis qu'elle est arrivée dans cette belle région où l'on ne respire qu'abandon et où l'on commence à posséder Dieu par amour, depuis enfin que ce Dieu de bonté, se substituant à ses soins et à ses industries, s'est rendu le principe de ses opérations, ces méthodes ont perdu pour elle leur utilité, elles ne sont plus qu'une route qu'elle a parcourue et qui est restée derrière elle. Exiger donc qu'elle reprenne ces méthodes ou qu'elle continue à les suivre, c'est vouloir lui faire abandonner de pàrvenir au terme où elle était pour rentrer dans la voie qui l'y a conduite.

Mais on perdra son temps et sa peine. Si cette âme a quelque expérience, elle aura beau entendre crier au-dedans, au-dehors, peu touchée de tout ce bruit, insensible à ces clameurs, elle restera sans trouble et sans s'ébranler aucunement dans cette paix intime où s'exerce si avantageusement son amour. C'est là le centre où elle reposera, ou, si vous le voulez, la ligne droite tracée par Dieu même qu'elle suivra toujours. Elle y marchera constamment et, au moment présent, tous ses devoirs y sont marqués. En suivant l'ordre de cette ligne à mesure qu'ils se présenteront, elle les remplira sans confusion et sans empressement. Pour tout le reste, elle se maintiendra dans une entière liberté, toujours prête à obéir au mouvement de la grâce dès qu'il se fera sentir, et à s'abandonner aux soins de la providence.

27

Au reste ces âmes ont moins besoin de direction que les autres, car on [n']arrive là que par le moyen de très grands et excellents directeurs. Et ce n'est guère que par providence, quand la mort enlève ou éloigne par quelque événement ceux que l'on a, que [12] l'on vient à en manquer. Alors même on est toujours disposé à se laisser conduire, on attend seulement en paix le moment de la providence, sans qu'on y pense ensuite. De temps à autre, on rencontrera des personnes pour lesquelles, sans les connaître et sans savoir d'où elles viennent, on se sentira une secrète confiance que Dieu inspire dans le temps de la privation. C'est une marque qu'il veut s'en servir pour leur communiquer quelques lumières, ne fût-ce que d'une manière passagère. Elles consultent alors et suivent avec la dernière docilité les avis qu'on leur donne. Mais, au défaut de ce secours, elles s'en tiennent aux maximes qui leur furent données par leur premier directeur. Ainsi elles sont toujours très réellement dirigées, ou par les anciens principes qu'elles reçurent autrefois, ou par ces avis de rencontre, et elles se servent de ceux-ci jusqu'à ce que Dieu leur donne des personnes à qui elles se confient pour tout. Elles sont enlevées de ce monde après qu'elles ont marché dans l'abandon à sa conduite.

28

---

12. Ms : *ceux que l'on a, ce qui fait que.*

III

Les dispositions que demande
l'état d'abandon,
et ses divers effets

Qu'il faut être dégagé de tout ce que l'on sent
et de ce que l'on fait pour marcher dans cette
voie où l'on ne subsiste qu'en Dieu et dans le
devoir présent ! Toutes les vues qui sont au-delà
doivent être retranchées, il faut se borner au
moment présent sans penser à celui qui l'a
précédé ni à celui qui doit le suivre. Je suppose
la loi de Dieu toujours à couvert, un je ne sais
quoi vous fera dire : « J'ai présentement affection à cette personne, à ce livre, à recevoir ou à
donner cet avis, former telles plaintes, à
m'ouvrir à cette âme ou à recevoir ses sentiments, à donner telle chose ou à la faire. » Il
faut suivre ce qui se présente par impression de
grâce, sans se soutenir un seul moment par ses
réflexions, ses raisonnements, ses efforts. Il faut
être aux choses pour le moment que Dieu y lie,
sans s'y engager par soi-même. La volonté de
Dieu nous est appliquée, puisque c'est lui qui vit
en nous dans l'état dont il est ici question. [Elle]

doit nous tenir lieu absolument de tous nos soutiens ordinaires.

30   Chaque moment nous oblige à chaque vertu. L'âme abandonnée y est fidèle, de façon que ce qu'elle a lu ou entendu lui est si présent que le novice le plus mortifié n'en remplit pas mieux les devoirs. C'est pour cela que ces âmes sont portées tantôt à une lecture et tantôt à une autre, ou bien à faire cette remarque, cette réflexion sur le plus petit événement. Dieu, dans un moment, leur donne l'attrait de s'instruire de ce qui, dans un autre, les soutiendra dans la pratique des vertus.

Dans tout ce que font ces âmes, elles ne sentent que l'attrait de le faire sans savoir pourquoi. Tout ce qu'elles peuvent dire se réduit à ceci : « Je me sens porté à croire, à lire, à demander, à regarder cela. Je suis cet attrait, et Dieu, qui me le donne, fait dans mes puissances un fonds et une réserve de ces choses particulières pour être dans la suite l'instrument d'autres attraits qui m'en donneront l'usage pour mon intérêt et celui des autres. » Voilà ce qui oblige ces âmes d'être simples, douces, souples et mobiles aux moindres zéphyrs de ces impul-

31   sions presque imperceptibles. Dieu, qui les possède, a droit de les appliquer à toutes choses pour sa gloire. Si elles voulaient, par les règles de l'état des âmes qui vivent par effort et indus-tries, résister à ces attraits, elles se priveraient de mille choses nécessaires pour remplir les devoirs des moments futurs. Mais comme on ignore cela, on les juge, on les blâme dans leur simplicité, et elles, qui ne blâment personne, qui approuvent

tous les états, qui savent si bien en marquer tous les degrés et les progrès, se voient méprisées par les faux sages qui ne peuvent goûter cette douce et cordiale soumission aux ordres de la providence.

Les sages du monde pouvaient-ils approuver cette perpétuelle instabilité des Apôtres qui ne pouvaient se fixer nulle part ? Les spirituels du commun ne peuvent aussi souffrir les âmes qui dépendent ainsi de la providence pour leur moment. Il n'y a que quelques âmes de leur état qui les approuvent. Et Dieu, qui instruit les hommes par les hommes, ne manque jamais d'en [faire] rencontrer de cette nature à ceux qui sont simples et fidèles à leur abandon.

Il y a un temps où Dieu veut être à l'âme sa vie et faire sa perfection par lui-même et d'une manière secrète et inconnue. Alors toutes les idées propres, les lumières, les industries, les recherches, les raisonnements sont une source d'illusions. Et quand l'âme, après plusieurs expériences de folie où la conduit sa propriété [1], en reconnaît enfin l'inutilité, elle découvre que Dieu a caché et confondu tous les canaux pour lui faire trouver la vie en lui-même. Alors, convaincue de son néant et que tout ce qu'elle peut tirer de son fonds lui est préjudiciable, elle s'abandonne à Dieu pour n'avoir rien que lui, de lui et par lui. Dieu devient donc pour elle une source de vie, non par idée, par lumière ou réflexions (tout cela n'est plus en elle qu'une source d'illusions). Il l'est par effet et par réalité

32

---

1. Son sens propre, son amour propre.

de grâces cachées sous les apparences de déguisement. L'opération divine n'étant pas connue de l'âme, elle en reçoit la vertu, la substance, le réel par mille sortes de circonstances qu'elle croit être sa ruine. Il n'y a point de remède à cette obscurité, il faut s'y laisser enfoncer : Dieu s'y donne et toutes choses en foi. L'âme n'est plus qu'un sujet aveugle ou, si l'on veut, elle est semblable à un malade qui ignore la vertu des remèdes : il n'en ressent que l'amertume, il s'imagine souvent qu'ils vont lui donner la mort, les crises et faiblesses en étant des apparences qui semblent justifier ses craintes. Cependant c'est sous cette apparence de mort qu'il reçoit la santé, et il les prend sur la parole du médecin qui les lui présente.

Autrefois l'âme, par idées et par lumières, voyait ce qui faisait le plan de sa perfection. Ce n'est plus cela dans son état présent. La perfection se donne à elle contre toute idée, toute lumière et tout sentiment. Elle se donne par toutes les croix de providence, par les actions du devoir présent, par de certains attraits qui n'ont rien de bon que de ne point porter au péché, mais qui semblent tout à fait éloignés du sublime éclatant et de l'extraordinaire de la vertu. Dans ces croix qui se succèdent par moment, Dieu caché et voilé se donne avec sa grâce d'une façon très inconnue. Car l'âme ne sent que faiblesse à porter ses croix, que dégoûts de ses obligations, et ses attraits ne la portent qu'à des exercices très communs. Toute la sainteté idéale ne lui est que reproches intérieurs de ses dispositions basses et méprisables. Tous les livres de la vie des saints

la condamnent, elle ne sent rien pour se
défendre. Elle voit une sainteté en lumières qui
la désole, car elle n'a plus de force pour s'y
élever, et elle ne sent pas sa faiblesse comme
ordre divin, mais comme lâcheté. Tout ce qu'elle
a d'amis et de personnes distinguées par l'éclat
de leurs vertus ou la sublimité de leurs spéculations ne la regardent qu'avec mépris : « Quelle
sainte ! », dit-on. Et l'âme, le croyant ainsi,
confuse de tant d'efforts inutiles qu'elle a faits
pour s'élever de cette bassesse, est rassasiée
d'opprobre sans avoir rien à répondre, ni à elle,
ni aux autres.

Elle sent cependant un poids foncier qui
l'occupe de Dieu et lui dit insensiblement que
tout ira bien pourvu qu'elle le laisse faire et ne
vive que de la foi. « Vraiment, dit Jacob, Dieu   35
est en ce lieu et je n'en savais rien ![2] » Vous
cherchez Dieu, chère âme, et il est partout, tout
vous l'annonce, tout vous le donne, il a passé à
côté, autour, au-dedans, au travers de vous. Il y
demeure et vous le cherchez ? Ah ! vous cherchez l'idée de Dieu avec sa substance, vous
cherchez la perfection, et elle est dans tout ce
qui se présente à vous de soi-même. Vos souffrances, vos actions, vos attraits sont des
énigmes sous lesquelles Dieu se donne à vous
pour soi-même, pendant que vous tendez vainement à des idées sublimes dont il ne veut point
se revêtir pour se loger chez vous. Marthe
cherche à contenter Jésus par de beaux apprêts[3]

---

2. *Genèse* 28, 16.
3. *Luc* 10, 40.

et Madeleine se contente de Jésus comme il lui plaît de se présenter à elle[4]. Jésus trompe même Madeleine : il se présente sous la figure d'un jardinier, et Madeleine le cherche sous l'apparence de l'idée qu'elle s'en formait. Les Apôtres voient Jésus, et ils le prennent pour un fantôme. Dieu se déguise donc à l'âme pour l'élever à la pure foi qui le trouve en lui-même sous[5] toutes sortes d'énigmes car, quand elle sait le secret de Dieu, il a beau se déguiser, elle dit : « Le voilà derrière la muraille, il regarde au travers des treillis et par les fenêtres »[6]. Ô divin amour, cachez-vous, sautez, bondissez de souffrance, appliquez par attraits d'obligations, composez, mêlez, confondez, rompez comme des fils toutes les idées et toutes les mesures de l'âme ! Qu'elle perde terre, qu'elle ne sente et n'aperçoive plus ni chemins, ni voies, ni sentiers, ni lumières ! Qu'après vous avoir trouvé dans vos demeures et vos vêtements ordinaires, dans le repos de la solitude, dans l'oraison, dans l'assujettissement à telles et telles pratiques, dans les souffrances, dans les soulagements donnés au prochain, dans la fuite des conversations, des affaires ; qu'après avoir tenté toutes les manières et tous les moyens connus de vous plaire, elle demeure courte, ne vous voyant plus en rien de tout cela comme autrefois ! Mais que l'inutilité de tous ses efforts la conduise enfin à laisser tout, désormais, pour vous trouver en vous-même, et

36

---

4. *Jean* 20, 14-16.
5. Ms : *sans.*
6. *Cantique* 2, 8-9.

partout ensuite, en tout, sans distinction ni réflexion. Car, ô divin amour, quelle erreur de ne pas vous voir dans tout ce qui est de bon et en toutes les créatures ! Pourquoi donc vous chercher en d'autres que dans celles dans lesquelles vous voulez vous donner ? Quoi, divin amour ? vous cherche-t-on sous d'autres espèces que celles que vous avez choisies pour vos sacrements ? Et leur peu d'apparence et de réalité ne sert-il [7] pas au mérite de l'obéissance et de la foi ?

37

---

7. Ms : *sert-elle.*

IV

Continuation du même sujet :
de l'abandon, sa nécessité et ses merveilles

Qu'il y a de grandes vérités dans cet état qui sont cachées ! Qu'il est vrai que toutes croix, toutes actions, tout attrait de l'ordre de Dieu donnent Dieu d'une façon qui ne peut mieux s'expliquer que par la comparaison avec le plus auguste mystère[1] ! Qu'il est vrai, par conséquent, que la vie la plus sainte est mystérieuse dans sa simplicité et sa bassesse apparente ! Ô festin ! Ô fête perpétuelle ! Un Dieu toujours donné et toujours reçu, non dans l'éclat, le sublime, le lumineux, mais [dans] ce qu'il y a d'infirme, de folie, de néant ! Dieu choisit ce que l'esprit naturel réprouve et tout ce que la providence humaine délaisse : Dieu en fait des mystères et se donne aux âmes autant qu'elles croient l'y trouver[2].

Le large, le solide et la pierre ferme ne se trouvent donc que dans cette vaste étendue de la

38

---

1. L'Eucharistie.
2. Ms : *s'y trouver.*

volonté divine qui se présente sans cesse sous le voile des croix et des actions les plus ordinaires. Et c'est donc sous leurs ombres que Dieu cache sa main pour nous tenir et nous porter. Cette vue doit suffire à une âme pour la porter [à] ce sublime abandon. Et la voilà dès lors à couvert de la contradiction des langues, car elle n'a plus rien à dire ni à faire pour sa défense. Puisque l'ouvrage est de Dieu, il ne faut point en aller chercher ailleurs la justification. Ses effets et ses suites le justifieront assez, il n'y a qu'à le laisser s'y développer. *Dies diei eructat*[3]. Quand on ne va plus par ses idées, il ne faut plus se défendre par des paroles. Nos paroles ne peuvent rendre que nos idées. Où l'on ne suppose point d'idées, point de paroles ! À quoi serviront-elles ? À rendre raison de ce que l'on a fait ? Mais on l'ignore, cette raison, puisqu'elle s'est cachée dans le principe qui a fait agir et dont on [n']a senti que l'impression d'une manière ineffable. Il faut donc laisser au moment soutenir la cause de l'autre moment. Tout se soutient dans cet enchaînement divin, tout est ferme et solide, et la raison de ce qui précède se voit par effet dans ce qui suit. Ce n'est plus une vie de pensées, une vie d'imaginations, une vie de paroles multipliées, ce n'est plus tout cela qui occupe l'âme, qui la nourrit, qui l'entretient. Elle ne va plus, elle ne se soutient plus par tout cela. Elle ne voit plus, elle ne prévoit plus où elle marchera, elle ne s'aide plus de réflexions pour s'animer à la fatigue et soutenir les incommodités du chemin,

39

---

3. « Le jour au jour l'annonce » (*Psaume* 19, 3).

tout se passe dans le sentiment le plus intime de sa faiblesse. La route s'ouvre-t-elle sous ses pas, elle s'y engage, elle y marche sans hésiter. Elle est pure, sainte, simple et vraie, marche dans la droite ligne des commandements de Dieu, c'est une pure adhérence à Dieu même qu'elle trouve sans cesse dans tous les points de cette ligne. On ne s'amuse plus à le chercher dans les livres, dans les questions infinies et dans les sollicitudes intérieures, on laisse le papier et les disputes, et Dieu se donne à l'âme et vient la trouver. Elle 40 ne cherche plus de chemin et la voie qui y conduit. Dieu lui-même lui fraie le chemin. À mesure qu'elle avance, elle le trouve tracé et tout battu. Tout ce qui lui reste à faire, c'est de se tenir ferme pour saisir Dieu qui s'offre directement à elle à chaque pas et à chaque moment, dans les divers objets qu'elle trouve sur son passage, et qui ne cessent de se présenter successivement.

L'âme n'a donc plus qu'à recevoir l'éternité divine dans l'écoulement des ombres du temps. Ces ombres varient, mais l'Éternel qu'elles cachent est toujours le même. Elle ne doit plus s'attacher à rien mais, se jetant à corps perdu dans le sein de la providence, suivre constamment l'amour par la voie des croix, des devoirs signifiés et des attraits non suspects.

Que cette voie est claire et lumineuse ! Je ne crains pas de la défendre et de l'enseigner nettement. Je vois que tout le monde me comprend quand je dis que tout l'ouvrage de notre sanctification consiste à recevoir de moment en moment 41 toutes les peines et devoirs de l'état comme des voiles qui cachent et donnent Dieu.

Dans l'abandon, l'unique règle est le moment présent. L'âme y est légère comme une plume, fluide comme l'eau, simple comme l'enfant. Elle y est mobile comme une boule pour recevoir et suivre toutes les impressions de la grâce. Ces âmes n'ont [pas] plus de consistance et de raideur qu'un métal fondu. Comme celui-ci prend tous les traits du moule où on le fait couler, ces âmes se plient et s'ajustent aussi facilement à toutes les formes que Dieu veut leur donner. En un mot, leur disposition ressemble à celle de l'air qui se prête à tout souffle et qui se configure à tout.

Une remarque importante qu'il y a ici à faire, c'est que dans cet état d'abandon, dans cette voie de foi, tout ce qui se passe dans l'âme, dans le corps, dans les affaires et divers événements, offre une apparence de mort qui ne doit pas étonner. Que voulez-vous ? c'est le caractère de cet état ! Dieu a ses desseins sur les âmes et, sous ces voiles obscurs, il les exécute[4] très heureusement. Sous ce nom de voiles j'entends les mauvais succès, les infirmités corporelles, les faiblesses spirituelles. Entre les mains de Dieu, tout réussit, tout se tourne à bien. C'est par ces choses qui désolent la nature qu'il ménage et qu'il prépare l'accomplissement de ses plus hauts desseins. *Omnia cooperantur in bonum iis*

42

---

4. Ms : *qu'il les exécute.*

qui secundum propositum vocati sunt sancti[5]. Il opère la vie sous les ombres. Ainsi, quand les sens sont effrayés, la foi, qui prend tout en bonne part et tout pour le meilleur, est pleine de courage et d'assurance.

Comme on sait que l'action divine comprend tout, conduit tout, fait tout (hors le péché), il est du devoir de la foi de l'adorer en tout, de l'aimer et la recevoir à bras ouverts. Il faut s'y porter avec un air plein de joie, de confiance, s'élevant en toutes choses au-dessus des apparences, qui ne sont de nature qu'à faire triompher la foi. Ce moyen, je vous le donne, d'honorer Dieu et de le traiter en Dieu.

Vivre de la foi, c'est donc vivre de joie, d'assurance, de certitude, de confiance en tout ce qu'il faut faire et souffrir à chaque moment par l'ordre de Dieu, quelque secret qu'il paraisse dans cette conduite. C'est pour animer et entretenir cette vie de foi que Dieu fait rouler l'âme et l'entraîne dans les flots tumultueux de tant de peines, de troubles, d'embarras, de langueurs, de renversements. Car il faut de la foi pour trouver Dieu en tout cela. Cette vie divine qui ne s'y voit et ne s'y sent pas, s'y donne[6] à tout moment d'une manière inconnue, mais très certaine. L'apparence de la mort dans le corps, de la damnation dans l'âme, du bouleversement dans les affaires sont l'aliment et le soutien de la foi. Elle perce à travers tout cela et vient s'appuyer

43

---

5. « Tout conspire au bien de ceux qui, selon son dessein, ont été appelés à la sainteté » (*Romains* 8, 28).

6. Ms : *ne s'y sent pas mais s'y donne.*

sur la main de Dieu qui lui donne la vie partout où ne s'offre point la vue du péché évident. Il faut qu'une âme de foi marche toujours en assurance, prenant tout pour voile et déguisement de Dieu dont la présence plus intime ébranle, effraie les facultés.

Il n'y a rien de plus généreux qu'un cœur qui a la foi, qui ne voit que vie divine dans les travaux et les périls les plus mortels. Quand il faudrait avaler le poison, marcher à une brèche, servir d'esclave à des pestiférés, on trouve en tout cela une plénitude de vie divine qui ne se donne pas seulement goutte à goutte, mais qui, dans un instant, inonde l'âme et l'engloutit. Une armée de semblables soldats serait invincible. C'est que l'instinct de la foi est une élévation de cœur et une étendue au-delà et au-dessus de tout ce qui se présente. La vie de la foi ou l'instinct de la foi est une même chose.

Cet instinct est une joie du bien de Dieu et une confiance fondée sur l'attente de sa protection qui rend tout agréable et qui fait tout recevoir de bonne grâce. C'est une indifférence et une préparation pour tous les lieux, tous les états et toutes les personnes. La foi n'est jamais malheureuse, jamais malade, jamais dans un état de péché mortel. Cette foi vive est toujours en Dieu, toujours dans son action, au-delà des apparences contraires qui obscurcissent les sens. Les sens effarouchés crient tout à coup à l'âme : « Malheureuse, te voilà perdue, plus de ressources ! » Et la foi, d'une voix plus forte, lui dit à l'instant : « Tiens ferme, marche, et ne crains rien ! »

Excepté les maladies évidentes qui, par leur nature, obligent de demeurer alité et à prendre les médicaments convenables, les langueurs, 45 impuissances des âmes d'abandon ne sont qu'illusions et des apparences qu'elles doivent braver avec confiance. Dieu les permet ou les envoie afin de donner de l'exercice à leur foi et à leur abandon qui en est le véritable remède. Sans y faire seulement attention, elles doivent poursuivre généreusement leur chemin dans les actions et les souffrances de l'ordre de Dieu, se servant sans hésiter de leurs corps comme on fait des chevaux de louage qui ne sont que pour périr en servant à tort et à travers. Cela vaut mieux que toutes les délicatesses qui nuisent à la vigueur de l'esprit. Cette force de l'esprit a je ne sais quelle vertu pour maintenir un corps faible, et une année d'une vie noble et généreuse vaut mieux qu'un siècle de soins et de craintes.

Il faut tâcher d'avoir habituellement un air et un maintien d'enfant de grâce et de bonne volonté. Eh ! que peut-on craindre à la suite de la fortune divine ? Conduits, soutenus, protégés par elle, ses enfants ne doivent rien offrir que 46 d'héroïque dans tout leur extérieur. Les objets effrayants qu'elle oppose à leur passage ne sont rien. Elle ne les appelle par là que pour embellir leur vie par[7] des aventures plus glorieuses. Elle les engage dans des embarras de toute espèce où la prudence humaine, qui ne voit et n'imagine aucune ressource pour sortir, sent toute sa faiblesse et se trouve courte et confondue. C'est

---

7. Ms : *leur vie que par.*

là que la fortune divine paraît dans tout son éclat ce qu'elle est à ceux qui sont tout à elle, et les dégage plus merveilleusement que les historiens fabuleux, livrés à tous leurs efforts de leur imagination dans le loisir et secret du cabinet, ne démêlent[8] les intrigues et les périls de leurs héros imaginaires qui arrivent toujours heureusement à la fin de leurs histoires. Elle les conduit avec une industrie bien plus admirable et plus heureusement au travers des morts, des périls et des monstres, des enfers, des démons et de leurs pièges. Elle élève ces[9] âmes jusqu'au ciel, et toutes ces âmes sont la matière de ces histoires mystiques plus belles et plus curieuses que toutes celles que les imaginations creuses des hommes ont inventées.

Allons donc, mon âme, au travers des périls, des monstres ! Conduits et dirigés, soutenus par cette main sûre et invisible, qui est invincible et infaillible, de la divine providence, allons sans crainte à notre terme, en paix et en joie ! Faisons-nous de tout ce qui se présente la matière de nos victoires ! C'est pour combattre et pour vaincre que nous marchons sous ses étendards : *qui exiit vaincus est vinceret*[10]. Autant de pas que nous ferons sous ses auspices, autant de triomphes, mon âme ! L'Esprit de Dieu a la plume à la main, et voilà le livre ouvert pour y continuer l'histoire sacrée qui n'est point encore

---

8. Ms : *démêlant.*
9. Ms : *ses.*
10. Citation très fautive. *Exiit vincens et ut vinceret* : « Il partit en vainqueur et pour vaincre » (*Apocalypse* 6, 2).

achevée et dont la matière ne s'épuisera qu'à la fin du monde. Cette histoire n'est que le récit des conduites et des desseins de Dieu sur les hommes. Il ne tient qu'à nous d'y figurer dans cette histoire et d'en fournir la suite par l'union de nos souffrances et de nos actions à ses conduites. Non, non, tout ce qui se présente à nous, soit pour agir, soit pour souffrir, n'est pas pour nous perdre ! On [ne] nous le ménage que pour fournir la matière de cette Écriture Sainte qui grossit tous les jours. L'amour de Dieu, la soumission à son action divine, voilà l'essentiel qui sanctifie l'âme. C'est tout ce qui dépend d'elle, c'est ce qu'y fait la grâce en elle par sa fidélité à y répondre.

48

Une âme sainte n'est qu'une âme librement soumise à la volonté divine avec l'aide de la grâce. Tout ce qui précède le pur acquiescement est ouvrage de Dieu et non point l'ouvrage de l'homme le recevant à l'aveugle, dans un abandon et une indifférence universels. Dieu ne lui demande que cette seule disposition. Le reste, il le détermine et le choisit selon ses desseins comme un architecte marque et désigne les pierres.

Il faut donc en tout aimer Dieu et son ordre, il faut l'aimer tel qu'il se présente, sans rien désirer de plus. Que tels et tels objets soient offerts, ce n'est point l'affaire de l'âme, mais de Dieu, et ce qu'il donne est le meilleur à l'âme. Le grand abrégé de spiritualité que cette maxime, que cet abandon pur et entier à l'ordre de Dieu ! Et là, dans le continuel oubli de soi-même, s'occuper éternellement à l'aimer et lui

49

obéir sans toutes ces craintes, ces réflexions, ces retours, ces inquiétudes que donne le soin de son salut et de sa propre perfection. Puisque Dieu s'offre à nous pour faire nos affaires, laissons-les donc une fois pour n'être plus occupés [11] que de lui-même et de ce qui le touche. Allons, mon âme, allons, tête levée au-dessus de tout ce qui se passe au-dehors et au-dedans de nous, toujours contents de Dieu, contents de ce qu'il fait en nous et nous fait faire ! Gardons-nous bien de nous engager imprudemment dans cette multitude de réflexions inquiètes qui, comme autant de soutiens perdus, s'offrent à notre esprit pour le surprendre et lui faire faire à pure perte des pas sans fin ! Passons ce labyrinthe de nous-mêmes en sautant par-dessus, et non pas en le parcourant par des détours interminables !

50   Allons, mon âme, à travers des langueurs, des maladies, des sécheresses, des duretés d'humeur, des faiblesses d'esprit, des pièges du diable et des hommes, de leur méfiance, jalousies, idées sinistres et préventions ! Volons comme un aigle au-dessus de tous ces nuages, la vue toujours fixée sur le soleil et sur nos obligations qui sont ses rayons ! Sentons tout cela (il ne dépend pas de nous d'y être insensible), mais souvenons-nous que notre vie n'est pas une vie de sentiment ! Vivons dans cette région supérieure de l'âme où Dieu et sa volonté opèrent une éternité toujours égale, toujours uniforme et immuable ! C'est dans cette demeure toute

---

11. Ms : *occupées.*

spirituelle que[12] l'incréé, l'indistinct, l'insensible, l'ineffable tient l'âme infiniment éloignée de tout le spécifique des ombres et des atomes créés. On sent dans ses[13] facultés leurs agitations, leurs inquiétudes, leur passé et cent[14] métamorphoses. Tout s'y passe comme dans l'air, où tout est comme sans suite et sans ordre dans une perpétuelle vicissitude. Mais Dieu et sa volonté est l'objet éternel qui charme le cœur dans l'état de foi, et qui, dans celui de la gloire, fera la vraie félicité. Et cet état glorieux de cœur influera sur tout le composé matériel qui n'est à présent que la proie des monstres et des hiboux et des bêtes farouches[15]. Sous ces espèces, toutes terribles qu'elles sont, l'action divine, lui donnant une aisance toute céleste, le fera briller comme le soleil. Car les facultés de l'âme sensitive et celles du corps sont préparées ici-bas comme l'or, le fer, le lin[16] et les pierres : comme la matière de ces diverses choses, elles ne jouiront de l'éclat et de la pureté de leur être qu'après avoir reçu bien des façons, souffert bien des destructions ou des retranchements. Tout ce qu'elles endurent ici-bas, sous la main de Dieu qui est cet amour, divin ouvrier, ne sert qu'à les y disposer. L'âme de foi, qui sait le secret de Dieu, demeure tout à fait en paix, et tout ce qui se passe en elle, au lieu de l'effrayer, la rassure. Intimement persuadée que c'est Dieu qui la

51

---

12. Ms : *où.*
13. Ms : *leurs.*
14. Ms : *sans.*
15. Cf. *Isaïe* 13, 21.
16. Ms : *linge.*

52 conduit, elle prend tout pour grâce et vit dans l'oubli d'un sujet sur lequel Dieu travaille, pour ne penser qu'à l'ouvrage commis à ses soins, c'est-à-dire à l'amour qui l'anime sans cesse à remplir fidèlement et avec exactitude les obligations. Tout le distinct en l'âme abandonnée est l'action de la grâce, excepté les péchés, qui y sont légers et que cette action même tourne à bien. J'appelle le distinct tout ce que l'âme sensible reçoit d'impressions affligeantes ou consolantes par les objets auxquels la volonté divine l'applique sans cesse et ne le fait que pour son bien. Je l'appelle distinct, parce que c'est ce que l'âme distingue le mieux de tout ce qui se passe en elle. D'y trouver Dieu, c'est l'objet de la foi ; de lui adhérer et de s'y soumettre, en est l'exercice.

V

De l'état de pure foi

L'état de pure foi est un certain mélange de foi, d'espérance et de charité dans un seul acte qui unit le cœur à Dieu et à son action. Ces trois vertus réunies ne sont plus qu'une seule vertu, ce n'est qu'un seul acte, qu'une seule élévation du cœur à Dieu et un simple abandon à[1] son action. Or, comment exprimer ce divin mélange, cette essence spirituelle ? Comment lui trouver un nom qui rende bien sa nature et son idée, et qui fasse concevoir l'unité de sa trinité ? Ce n'est plus, ces trois vertus, qu'une seule fruition et jouissance de Dieu et de sa volonté. On voit cet objet adorable, on l'aime et on espère de lui toutes choses. Cela se peut appeler un pur amour, une pure espérance, une pure foi. Et le nom de pure foi est demeuré à cette unité mystique, quoique sous ce nom il faille entendre la trinité des vertus théologales. Il n'y a rien de plus certain que cet état en ce qui est de Dieu,

53

---

1. Ms : *de.*

rien de plus désintéressé en ce qui est du cœur. Pour ce qui est de l'union de Dieu et du cœur, elle a, du côté de Dieu, la certitude de la foi, et, du côté de la liberté du cœur, la certitude assaisonnée de crainte et d'espérance.

Ô unité désirable de la trinité de ces excellentes vertus ! Croyez donc, âmes saintes, espérez, aimez ! mais par une simple touche que l'Esprit divin, dont Dieu vous fait présent, produit dans votre cœur. C'est là l'onction de ce nom de Dieu que cet Esprit répand dans le centre du cœur. Voilà cette parole et cette révélation mystique, ce gage de la prédestination et de toutes ses [2] heureuses suites : *Quam bonus Israël Deus his qui recto, etc.* [3].

Cette touche dans les âmes embrasées s'appelle pur amour à cause du torrent de volupté qui déborde sur toutes les facultés avec une plénitude de confiance et de lumières. Mais, dans les âmes enivrées d'absinthe [4], cette touche s'appelle pure foi, parce que l'obscurité, les ombres de la nuit y sont toutes pures. Le pur amour voit, sent et croit. La pure foi croit sans voir ni sentir. Voilà d'où vient la différence que l'on met entre l'une et l'autre. Elle n'est fondée que sur des apparences qui ne sont pas les mêmes, car, dans la réalité, comme l'état de pure foi ne manque pas d'amour, de même l'état du pur amour ne manque ni de foi ni d'abandon.

---

2. Ms : *ces.*

3. « Que Dieu est bon, Israël, pour les hommes au cœur droit ! » (*Psaume* 73, 1).

4. Cf. *Lamentations* 3, 15 : « Il m'a saturé d'amertume, il m'a enivré d'absinthe. »

Mais ces termes s'y approprient à cause de ce qui domine le plus dans cet état. Le mélange différent de ces vertus sous cette touche fait la variété de tous les états surnaturels et élevés, et, comme Dieu les peut mêler dans une variété infinie, il n'y a point d'âmes qui ne reçoivent cette précieuse touche avec quelques caractères particuliers. Mais qu'importe ? c'est toujours foi, espérance et charité. L'abandon est un moyen général pour recevoir les vertus générales dans une espèce de ces touches. Toutes les âmes ne peuvent prétendre à la même espèce et au même état sous les divines impressions, mais elles peuvent toutes s'unir à Dieu, toutes s'abandonner à son action, toutes être des épouses abandonnées, toutes recevoir la touche de l'état qui leur est propre, toutes enfin trouver le royaume de Dieu et avoir part à sa grandeur et à l'excellence de ses avantages. C'est un empire où toute âme peut aspirer à une couronne. [Couronne] d'amour ou couronne de foi, c'est toujours une couronne, c'est toujours le royaume de Dieu. Il y a cette différence, il est vrai, que les unes sont dans les ténèbres, les autres dans la lumière. Mais qu'importe encore une fois ! pourvu que l'on soit uni à Dieu et à son action. Est-ce le nom de l'état que l'on cherche ? Est-ce sa distinction et son excellence ? Point du tout, c'est Dieu même et son action. La manière doit être indifférente à l'âme.

Évangélisons[5] donc non plus l'état de pure foi ou du pur amour, de croix ou de caresses, à

___
5. Annonçons.

toutes les âmes. Cela ne peut se donner à toutes de même et de la [même] manière. Mais évangélisons à tous les cœurs simples et craignant[6] Dieu l'abandon à l'action divine en général, et faisons entendre à toutes[7] qu'elles recevront par ces moyens l'état singulier que cette action leur a choisi et destiné de toute l'éternité. Ne désolons, ne rebutons personne de l'éminente perfection. Jésus y appelle tout le monde, puisqu'il exige de tous qu'ils soient soumis à la volonté de son Père et qu'ils servent à former son corps mystique dont les membres ne peuvent l'appeler leur chef avec vérité qu'autant que leur volonté se trouve parfaitement d'accord avec la sienne. Répétons sans cesse à toutes les âmes que l'invitation de ce doux et aimable Sauveur n'exige rien d'elles ni de si difficile, ni de si extraordinaire. Ce n'est point leur industrie qu'il demande : il ne souhaite que leur bonne volonté unie à lui pour les conduire, diriger et favoriser à proportion de cette union.

Oui, chères âmes, Dieu ne demande que votre cœur. Si vous cherchez ce trésor, ce royaume où règne Dieu seul, vous le trouverez. Votre cœur, s'il est dévoué totalement à Dieu, est dès lors ce trésor[8], ce royaume-là même que vous désirez et que vous cherchez. Dès que l'on voit Dieu et sa volonté, on jouit de Dieu et de sa volonté, et cette jouissance répond aux désirs qu'on en a :

57

---

6. Ms : *craignons.*

7. Rupture grammaticale typique au cours d'une même phrase : l'auteur parle des « cœurs » mais pense aux « âmes ».

8. Cf. *Matthieu* 6, 21.

aimer Dieu, c'est désirer[9] sincèrement l'aimer.
Parce qu'on aime, on veut être instrument de son
action pour que son amour ait dans nous et par
nous de l'exercice. Ce n'est pas à l'adresse de
l'âme simple et sainte, mais à son vouloir que
correspond l'action divine. Elle correspond à la
pureté de l'intention et non point aux mesures
que l'on prend, aux projets que l'on forme, à la
manière dont on s'avise, ni aux moyens que l'on
choisit. L'âme peut s'abuser en tout cela. Il n'est
pas rare que cela lui arrive. Mais sa droiture et
sa bonne intention ne la trompent jamais. Pourvu
que Dieu y voie cette bonne disposition, il lui
passe le reste, et tient pour fait ce qu'elle ferait
infailliblement si des vues plus sûres secondaient
sa bonne volonté.

La bonne volonté n'a donc rien à craindre. Si
elle tombe, elle ne peut tomber que sous cette
main toute-puissante qui la guide et la soutient
dans tous ses égarements. C'est elle qui
l'approche du terme lorsqu'elle s'en éloigne, qui
la remet dans son chemin lorsqu'elle en sort.
C'est elle enfin qui trouve toujours sa ressource
dans les écarts où la jettent l'effort et l'industrie
des aveugles facultés qui l'égarent, lui fait sentir
combien elle doit les mépriser pour ne compter
que sur elle et s'abandonner totalement à sa
conduite infaillible. Les erreurs où tombent les
bonnes âmes se terminent donc à l'abandon et
jamais un bon cœur ne peut se trouver au

58

9. Ms : *aimer Dieu et désirer.*

dépourvu, car c'est un oracle que « tout lui coopère en bien » [10].

C'est donc l'abandon que je prêche, cher amour, et non un état particulier. J'aime tous les états où votre grâce met les âmes et, sans affectionner [l']un préférablement à l'autre, j'enseigne à toutes un moyen général pour arriver à celui que vous leur marquerez. Je ne demande à toutes que la volonté de s'abandonner entièrement à votre conduite. Vous les ferez arriver infailliblement à ce qu'il y a de plus excellent pour elles. C'est la foi que je leur prêche, abandon, confiance et foi : vouloir être sujet, instrument de l'action divine, et croire qu'à tout moment et en toutes choses cette action s'applique en même temps à tout, selon qu'elle [11] a plus ou moins de bonne volonté. Voilà la foi que je prêche. Ce n'est plus un état spécial de foi et de pur amour, mais un état général par lequel toutes sortes d'âmes peuvent descendre dans les espèces qui doivent faire la différence de la forme divine que la grâce leur prépare.

J'ai parlé aux âmes peinées, je parle ici à toutes sortes d'âmes. C'est le véritable instinct de mon cœur d'être à tous, de parler à tous, d'annoncer à tous le secret évangélique et de me faire tout à tous [12]. Dans cette heureuse disposition, je me fais un devoir, que je remplis sans peine, de pleurer avec ceux qui pleurent, de me

---

10. *Romains* 8, 28.
11. L'âme.
12. Ms : *tous à tous*. Cf. *1 Corinthiens* 9, 22 et, pour les lignes qui suivent, *Romains* 12, 15.

réjouir avec ceux qui sont dans la joie, de parler avec les idiots leur langage et d'user avec les savants de termes plus doctes et plus relevés. Je veux faire voir à tous que tous peuvent prétendre non pas aux mêmes choses distinctes, mais au même amour, au même abandon, au même Dieu, à son même ouvrage et, par là, tous indifféremment à l'éminente sainteté. Ce qu'on appelle faveurs extraordinaires et privilégiées n'est tel [13] que parce qu'il y a peu d'âmes assez fidèles pour se rendre dignes de les recevoir. C'est ce que l'on verra bien au jour du jugement. Hélas ! on y verra que ce ne fut point une réserve de Dieu pour nous les refuser, mais [que ce fut] par la pure faute des âmes qu'elles auront été privées de ces divines largesses. Quelle abondance de biens eût fait couler dans leur sein la soumission totale d'une bonne volonté toujours constante !

60

Il en est de l'action divine comme de Jésus : ceux qui n'avaient ni confiance en lui, ni respect pour lui, n'en recevaient point les faveurs qu'il offrait à tout le monde. Ils ne pouvaient s'en prendre qu'à leurs mauvaises dispositions. Tous, il est vrai, ne peuvent point aspirer aux mêmes états sublimes, aux mêmes dons et aux mêmes degrés d'excellence. Mais si tous, fidèles à la grâce, y répondaient chacun [à] sa mesure, tous seraient contents, parce qu'ils arriveraient tous au point d'excellence et de faveurs qui satisferaient pleinement leurs désirs. Ils seraient contents selon la nature et selon la grâce, car la

---

13. Ms : *n'est-elle.*

nature et la grâce se confondent dans les soupirs que le désir de ce précieux avantage fait sortir du fond du cœur.

61 Si l'on ne reçoit pas l'instinct propre de tel état, on recevra l'instinct propre de tel autre. La pure foi a les siens, les autres états ont les leurs, qui les distinguent. Chaque chose dans la nature a ce qui convient à son espèce : chaque fleur son agrément, chaque animal son instinct et chaque créature sa perfection. Ainsi, dans les divers états de la grâce, chacun a sa grâce spécifique, et il est une récompense pour chacun de ceux dont la bonne volonté s'assortit à l'état où l'a mis la providence.

Une âme tombe dans l'action divine dès que la bonne volonté se trouve formée dans son cœur, et cette action a plus ou moins d'activité sur elle selon qu'elle est plus ou moins abandonnée. L'art de s'abandonner n'est que celui d'aimer. L'amour trouve tout, on ne lui refuse rien : comment serait-il refusé ? L'amour ne peut demander que ce que veut l'amour. L'amour ne peut-il pas vouloir ce qu'il veut ? L'action divine n'a égard qu'à la bonne volonté. Ce n'est point la capacité des autres facultés qui l'attire ni leur incapacité qui l'éloigne. Trouve-t-elle un cœur bon, pur, droit, simple, soumis, filial et respec-

62 tueux ? C'est tout ce qu'il lui faut. Elle s'empare de ce cœur, elle possède toutes ses facultés, et tout se trouve enfin si bien concerté pour le bien de l'âme qu'elle trouve en toutes choses de quoi se sanctifier. Ce qui donne la mort aux autres âmes entrât-il dans celle-ci, le contrepoison de sa bonne volonté ne manque pas d'en arrêter les

effets. Vînt-elle [14] jusqu'au bord du précipice, l'action divine l'en éloignerait, ou, tant qu'elle l'y laisserait, elle suspendrait sa chute. Y tombât-elle, elle l'en retirerait. Après tout, les fautes de ces âmes ne sont que des fautes de fragilités et fort peu aperçues. L'amour sait toujours les tourner à leur avantage. Par des insinuations secrètes, il leur fait entendre ce qu'elles ont à dire ou à faire selon les circonstances (*intellectus bonus omnibus facientibus eum* [15]), comme des lueurs de l'intelligence divine. Car cette divine intelligence les accompagne dans toutes leurs démarches et les tire de tous les mauvais pas où leur simplicité les engage. Font-elles des avances qui les jetteraient dans quelque engagement préjudiciable, la providence leur ménage d'heureuses rencontres qui réparent tout. On a beau former contre elles des intrigues et les multiplier, cette providence en rompt tous les nœuds, elle en confond les auteurs et répand sur eux un esprit de vertiges qui les fait tomber dans leurs propres pièges. Sous sa conduite, ces âmes qu'on y voulait surprendre font, sans qu'elles y pensent, certaines choses fort inutiles en apparence, mais qui servent ensuite à les délivrer de tous les embarras où leur droiture et la malice de leurs ennemis les avaient jetées.

63

Ô la fine politique que cette bonne volonté ! Qu'il y a de prudence dans sa simplicité, d'industrie dans son innocence et sa franchise, de mystères et de secrets dans sa droiture !

---

14. Ms : *vient-elle.*
15. « Bien avisés tous ceux qui le font » (*Psaume* 111, 10).

Voyez le jeune Tobie : ce n'est qu'un enfant, mais Raphaël est à ses côtés. Avec un tel guide il marche en assurance, rien ne l'effraie, rien ne lui manque. Ce sont les monstres mêmes qu'il rencontre qui lui fournissent des vivres et des remèdes. Celui qui s'élance pour le dévorer devient lui-même sa nourriture. Il n'est occupé que de noces et de festins, car c'est là dans l'ordre de la providence son objet présent. Ce n'est pas qu'il n'ait d'autres affaires, mais elles sont abandonnées à cette intelligence chargée de l'assister en tout. Elles se trouvent si bien faites qu'il n'eût jamais si bien réussi, car ce ne sont que bénédictions et prospérités. Cependant la mère pleure et est dans la plus vive amertume. Mais le père est plein de foi, l'enfant, de joie et de consolation avec toute sa famille, et entre ensuite dans le ravissement.

Que les autres, Seigneur, vous demandent toutes sortes de dons, qu'ils multiplient leurs paroles et leurs prières ! Pour moi, mon Dieu, je ne vous demande qu'un seul don et je n'ai que cette prière à vous faire : « Donnez-moi un cœur pur ! » Ô cœur pur, que vous êtes heureux ! C'est dans lui-même que vous voyez Dieu par la vivacité de votre foi. Vous le voyez en toutes choses et vous le voyez à tous moments, opérant au-dedans de vous et au-dehors. Vous êtes en tout son sujet et son instrument, il vous mène en tout et amène à tout. Le plus souvent vous n'y pensez pas, mais il y pense pour vous. Ce qui vous arrive et doit arriver par son ordre, il lui suffit que vous le désiriez : il entend votre prépa-ration. Dans l'étonnement, vous cherchez à

82

démêler en vous-même ce désir, vous ne l'y voyez pas. Oh ! pour lui, il le voit bien ! Mais que vous êtes simple ! Ignorez-vous donc ce que c'est qu'un cœur bien disposé ? Ce n'est autre chose qu'un cœur où Dieu se trouve. Y voyant toutes ces inclinations, il sait dès lors que ce cœur sera toujours soumis à ses ordres. Il sait en même temps que vous ne savez guère ce qui vous est propre, aussi fait-il son affaire de vous le donner. Peu lui importe qu'il vous contrarie : vous allez à l'orient, il vous conduit à l'occident ; vous allez donner bonnement dans un écueil, il retourne le gouvernail et vous conduit au port. Sans savoir ni carte ni route, ni vent ni marée, vous ne faites jamais que des voyages heureux. Si les pirates croisent contre vous, un coup de vent inopiné vous met à l'instant hors de leur portée.

Ô bonne volonté ! ô cœur pur ! que Jésus a bien su vous mettre à votre place quand il vous a rangé parmi les béatitudes ! Quel bonheur plus grand que de posséder Dieu, tandis qu'il nous possède réciproquement ? État délicieux et plein de charmes ! On y dort paisiblement sur le sein de la providence, on y joue innocemment avec la divine sagesse [16], sans inquiétude sur le succès de sa course qui n'en souffre aucune interruption et qui se fait toujours, à travers les écueils et les pirates et parmi les orages continuels, le plus heureusement. Ô cœur pur ! ô bonne volonté ! vous êtes l'unique fondement de tous les états spirituels. C'est à vous que sont donnés et c'est

66

---

16. Cf. *Proverbes* 8, 30-31.

par vous que profitent les dons de pure foi, espérance, de pure confiance et de pur amour. C'est sur votre tronc [17] que sont entées les fleurs du désert, je veux dire les grâces précieuses qu'on ne voit guère éclater que dans ces âmes parfaitement détachées où Dieu, comme dans un séjour inhabité, fait sa demeure à l'exclusion de tout autre objet. Vous êtes cette source féconde d'où partent tous les ruisseaux qui viennent arroser et le parterre de l'époux et le jardin de l'épouse. Hélas ! que vous pouvez bien dire à toutes les âmes : « Considérez-moi bien ! C'est moi qui produis le bel amour [18], cet amour qui démêle toujours ce qu'il y a de meilleur pour s'y fixer, moi qui fais naître cette racine douce et efficace qui donne de l'horreur du mal, et le fais éviter sans troubles, moi qui fais éclore les belles connaissances qui nous découvrent les grandeurs de Dieu et le prix de la vertu qui l'honore, moi enfin d'où s'élèvent ces ardents désirs, animés sans cesse par une espérance toute sainte qui fait pratiquer constamment le bien dans l'attente de ce divin objet dont la jouissance doit faire un jour, comme à présent mais plus délicieusement, la félicité des âmes fidèles. » Vous pouvez toutes les inviter à se rendre toutes autour de vous pour s'enrichir de vos inépuisables trésors. C'est à vous que remontent tous les états et toutes les voies spirituelles, c'est dans

67

---

17. Ms : *throne*.
18. Cf. *Ecclésiastique* 24, éloge de la Sagesse par elle-même.

vous qu'elles [19] [en] offrent de beaux, [d']attrayants, de charmants, c'est de votre fonds qu'elles le[s] tirent. Ces fruits merveilleux de grâce et de vertu de toutes espèces qu'on y voit éclater de toutes parts et dont on s'y nourrit ne sont que des productions de vos plants dont on les transplante [20] comme d'un jardin de délices. C'est sur vos terres que coulent le lait et le miel, ce sont vos mamelles qui distillent le lait, c'est sur votre sein que se cueille le bouquet de myrrhe [21] et c'est sur vos doigts qu'on voit couler avec abondance et en toute sa pureté la liqueur qu'on a coutume d'en extraire en ne faisant que le presser.

68

Allons donc, chères âmes, courons, volons à cette mère d'amour qui nous appelle ! Qu'attendons-nous ? Marchons à l'instant, allons nous perdre en Dieu, en son cœur même, pour nous y enivrer de cette bonne volonté ! Prenons dans ce cœur la clé des trésors célestes ! Prenons ensuite notre route vers le ciel sans crainte de la trouver fermée : elle nous en ouvrira toutes les portes. Point d'endroit si secret où nous ne puissions pénétrer ensuite. Rien ne sera clos pour nous, ni le jardin, ni le cellier, ni la vigne [22]. Si nous voulons respirer l'air de la campagne, il ne tiendra qu'à nous d'y faire un tour. Enfin nous irons et nous viendrons, nous entrerons et nous sortirons à notre gré avec cette clé de David,

---

19. Accord avec « voies », selon la syntaxe de l'époque.

20. Ms : *les y transplante*.

21. Ms : *mirthe*. Cf. *Cantique* 1, 13 : « Mon bien-aimé est un sachet de myrrhe qui repose entre mes seins. »

22. Cf. *Cantique* 4, 12 ; 2, 4 ; 2, 15.

cette clé de la science, cette clé de l'abîme où sont renfermés les trésors profonds et cachés de la Sagesse divine[23]. C'est encore avec cette divine clé que l'on ouvre les portes de la mort mystique et de ses ténèbres sacrées. C'est par elle que l'on descend dans les lacs profonds et dans la fosse aux lions[24]. C'est elle qui pousse encore ces âmes dans ces cachots obscurs pour les en retirer saines et sauves. C'est elle qui nous introduit dans cet heureux séjour où l'intelligence et la lumière font leur demeure ; où l'époux prend au frais le repos du midi ; où l'on sait bientôt, dès qu'on le voit, par quelle adresse on obtient un baiser de sa bouche, on monte avec confiance les degrés de sa couche nuptiale, et que c'est là que s'apprennent les secrets de l'amour[25]. Ô divins secrets qu'il n'est pas permis de révéler et que nulle mortelle bouche ne peut exprimer !

Aimons donc, chères âmes ! Tous ces[26] biens, pour nous enrichir, n'attendent que l'amour : il donne la sainteté, il donne tout ce qui l'accompagne, elle est dans sa droite, elle est dans sa gauche pour la faire couler de toutes parts dans tous les cœurs ouverts à toutes ses divines effusions. Ô divine semence de l'éternité ! On ne peut jamais faire assez vos éloges. Mais pourquoi tant parler de vous ? Il vaut mieux vous posséder dans le silence que de vous louer par de

---

23. Cf. *Apocalypse* 3, 7 ; *Luc* 11, 52 ; *Apocalypse* 9, 1 ; *Sagesse* 7, 14.
24. Cf. *Isaïe* 14, 15 et *Daniel* 6, 17 et suiv.
25. Cf. *Cantique* 1, 1.4.6.
26. Ms : *ses*.

faibles paroles. Que dis-je ? Il faut vous louer, mais il ne faut vous louer que parce qu'on est possédé de vous. Car, du moment que vous possédez un cœur, lire, écrire, parler, agir ou faire le contraire, c'est une même chose pour le cœur. On n'affecte rien, on n'évite rien, on est solitaire, on est apôtre, on est sain, on est malade, on est simple ou éloquent, on est enfin tout comme vous le dictez au cœur. Et le cœur, 70 votre fidèle écho, le répète aux autres facultés. Dans ce composé matériel et spirituel que vous voulez bien regarder comme votre royaume, c'est le cœur qui règne en maître sous vos auspices. Comme il n'a point d'autres instincts que ceux que vous lui inspirez, tout objet lui plaît sous les rapports que vous lui offrez. Ceux que la nature ou le démon voudraient y substituer ne font que le dégoûter et lui causer que de l'horreur. Si vous permettez qu'il s'y laisse surprendre quelquefois, ce n'est que pour le rendre plus sage et plus humble.

VI

Suite de la même matière :
de l'état de pure foi
ou de l'abandon à l'action divine

Mais avançons toujours dans la connaissance
de l'action divine. Ce qu'elle ôte à la bonne
volonté selon l'aperçu, elle le lui donne pour
ainsi dire *incognito*. Elle ne la laisse jamais
manquer. C'est comme quelqu'un qui soutien-
drait un ami par des largesses dont il laisse
connaître qu'il est l'auteur ; mais ensuite qui,
pour l'intérêt de ce même ami, faisant semblant
de ne plus vouloir l'obliger, ne laisserait pas
toujours de l'assister également, sans se faire
connaître. L'ami, qui ne soupçonnerait pas cette
ruse et ce mystère d'amour, se sentirait piqué.
Que de réflexions, que de raisonnements sur la
conduite de son bienfaiteur ! Mais [que] le
mystère commence ensuite à se dévoiler : Dieu
sait les divers sentiments qui s'élèveraient en
même temps dans son âme, de joie, d'attendris-
sement, de reconnaissance, d'amour, de confusion, d'admiration ! N'en aurait-il pas plus de
zèle et d'ardeur pour son ami ? Et cette épreuve
ne l'affermirait-elle pas dans son attachement

pour lui, en le rendant plus aguerri par la suite contre de semblables surprises ? L'application est aisée : plus on semble perdre avec Dieu, plus on gagne ; plus il retranche du naturel, plus il donne du surnaturel. On l'aimait un peu pour ses dons. Ses dons n'étant plus aperçus, on en vient enfin à [ne] l'aimer que pour lui-même. C'est par l'apparente soustraction de ses dons mêmes qu'il prépare à ce grand don, le plus précieux et le plus étendu de ses dons, puisqu'il les renferme tous. Les âmes qui se sont une fois soumises totalement à son action doivent donc toujours interpréter favorablement fût-ce la perte des plus excellents directeurs, fût-ce la méfiance générale qu'elles se sentiraient pour tous ceux qui s'offrent plus qu'on ne désire. Car, en général, ces sortes de guides qui courent d'eux-mêmes après les âmes méritent un peu qu'on se défie d'eux. Ceux qui sont vraiment animés de l'Esprit de Dieu ne marquent pas pour l'ordinaire tant d'empressement et de suffisance. Ils s'appellent moins eux-mêmes qu'on ne les appelle. Encore même marchent-ils toujours avec une certaine méfiance. Mais, pour revenir à ces âmes, on peut dire que leur cœur est l'interprète de l'ordre de Dieu. Il faut sonder ce que dit le cœur, il est l'interprète de la volonté de Dieu selon les occurrences. Car l'action divine déguisée lui révèle ses desseins non par idées, mais par instinct. Elle les lui découvre ou par rencontres, la faisant agir à l'aventure, ou par nécessité, ne lui permettant pas de prendre d'autre parti que celui qui se présente, ou par l'application possible des moyens nécessaires, comme par

72

exemple quand il faut dire ou faire certaines choses par un premier mouvement ou dans un transport surnaturel ou extraordinaire, ou bien enfin par une application active d'inclination ou d'éloignement d'où, selon qu'on se trouve affecté, l'on s'approche ou on s'éloigne des objets. Si l'on s'en tient aux apparences, c'est là 73 sans doute un grand vide de vertu de se laisser aller ainsi à l'incertain. Si l'on en juge selon les règles ordinaires, rien de réglé, d'uniforme et de concerté dans la conduite. C'est néanmoins, dans le fond, le plus haut point de la vertu d'en être là. Et ce n'est qu'après s'y être longtemps exercé qu'on y parvient ordinairement. La vertu de cet état, c'est la vertu toute pure, c'est la perfection même.

On est comme un musicien qui joindrait à un long exercice une parfaite connaissance de la musique. Il serait si plein de son art que, sans y penser, tout ce qu'il ferait dans l'étendue de son art en aurait la perfection. Et, si l'on examinait ensuite ses compositions, on y trouverait une conformité parfaite avec ce que prescrivent les règles, et qu'il n'aurait jamais mieux réussi que quand, libre des règles qui captivent le génie lorsqu'on les suit trop scrupuleusement, il avait agi sans contrainte. Et ces impromptus, comme autant de chefs-d'œuvre, feraient l'admiration des connaisseurs.

Ainsi l'âme longtemps exercée dans la science et la pratique du salut sous l'empire du raisonnement et de méthodes dont elle s'aidait pour 74 seconder la grâce, se forme insensiblement une habitude qui passe comme en nature, d'agir en tout par la foi et la raison. Il semble alors qu'elle n'a rien de mieux à faire que ce qui se présente d'abord, sans cette suite de réflexions dont elle avait besoin autrefois. Il ne lui reste plus que d'agir comme à l'aventure, ne pouvant que se livrer au génie de la grâce qui ne peut l'égarer. Ce qu'elle opère dans cet état de simplicité n'offre rien que de merveilleux pour les yeux éclairés et les esprits intelligents. Sans règles, rien de mieux réglé ; sans mesure, rien de mieux concerté ; sans réflexions, rien de plus approfondi ; sans industrie, rien de mieux ménagé ; sans efforts, rien de plus efficace ; et sans prévoyance, rien qui s'ajuste mieux aux événements qui surviennent.

Néanmoins l'âme se trouve comme perdue dans cet état, elle n'a plus d'appui et d'aperçu, ni celui des réflexions qui guidaient et amenaient ses opérations, ni celui de la grâce qui ne se fait plus sentir. Mais c'est dans cette perte qu'elle retrouve tout, car cette même grâce, substituée pour ainsi dire à elle-même sous une nouvelle forme, et au propre esprit, rend à l'âme le centuple de ce qu'elle lui ôte, par la pureté des impressions cachées.

C'est là sans doute un grand coup de mort à l'âme de perdre ainsi de vue la volonté divine, qui se retire de devant ses yeux pour se tenir pour ainsi dire derrière elle et la pousser devant soi, n'étant plus son objet, mais son principe. On sait par expérience que[1] rien n'embrase le désir de cette volonté comme cette perte que le cœur

_____

1. Ms : *On sait que par expérience rien.*

en fait. Quel profond gémissement ne pousse-t-il pas ! Il n'y a là aucune consolation sensible.

Ravir Dieu à un cœur qui ne veut que Dieu, quel secret d'amour ! C'en est un grand, car c'est par cette voie, et ce n'est que par elle, que la pure foi et la pure espérance s'établissent dans une âme. On croit alors ce qu'on ne voit pas, et on attend ce qu'on ne possède pas sensiblement. Oh ! combien nous perfectionne cette conduite inconnue d'une action dont on est sujet et instrument sans qu'il y en ait aucune apparence ! Tant il ne paraît en tout ce que l'on fait que pur hasard et inclination naturelle. Tout ici humilie l'âme. Quand on parlerait par inspirations, on penserait ne [2] parler que par nature. On ne voit jamais par quel esprit on est poussé. Le souffle le plus divin effraie. Et tout ce que l'on fait ou l'on sent, on le méprise incessamment, comme si tout ce qui se passe était défaut et imperfections. On admire toujours les autres et on se sent de cent pieds au-dessous, il n'y a rien dans leur procédé qui ne confonde. On se défie de toutes ses lumières, on ne peut s'assurer sur aucune de ses pensées, on a une soumission excessive pour les moindres âmes que l'on croit véritables, et l'action divine ne semble éloigner du vertueux que pour enfoncer l'âme dans une profonde humilité. Mais cette humilité ne paraît pas vertu à l'âme : c'est pure justice, à ce qu'elle pense.

Ce qu'il y a en cela d'admirable, c'est que l'âme paraît à ceux de qui Dieu la sépare intérieurement dans des sentiments tout contraires.

76

---

2. Ms : *on ne penserait ne.*

Et c'est ce qui lui paraît aussi à elle-même, car, de ce côté, ce n'est que pure apparence d'opiniâtretés, de désobéissances, de troubles, de mépris, d'indignations sans remèdes. Et plus l'âme veut réformer ses désordres, plus ils croissent, parce 77 que ce sont de véritables instincts de grâce qui détournent l'âme des écueils où elle ferait naufrage, et que l'amour qui parle à son cœur l'en éloigne pratiquement, malgré tous les états de son esprit qui, par une vertu de pure étude, croit obligé de s'en approcher.

Quel procédé de l'action divine, de sanctifier réellement l'âme et sous des apparences telles qu'il n'y ait rien qui ne l'humilie ! Cela est vraiment admirable et divin, c'est là une sainteté toute extraordinaire qui ne peut qu'accroître l'humilité ! Voilà des faveurs, des caresses, des dons de grâce bien sûrs ! Aussi les fruits de la pure foi ne se corrompent point. L'écorce est trop vide et trop dure.

Vivez donc, petite racine de mon cœur, dans l'inconnu et le caché de Dieu ! Poussez, par sa vertu secrète, des branches, des feuilles, des fleurs, des fruits au-dehors, que vous ne pouvez voir et dont les autres seront nourris et réjouis ! Donnez à toutes les âmes qui viendront se reposer sous votre ombre et y chercher du rafraîchissement des fruits selon leur goût, sans consulter le vôtre ! Que toutes les greffes que la grâce enlèvera sur vous reçoivent un sceau indé- 78 terminé qui ne se spécifie que par la configuration de ces mêmes greffes ! Devenez toute en toutes et ne soyez vous-même qu'abandon et indifférence !

Demeurez, petit ver, dans l'étroit et obscur cachot de votre misérable coque, jusqu'à ce que la chaleur de la grâce vous forme et vous fasse éclore ! Mangez ensuite toutes les feuilles qu'elle vous présente, et ne regardez pas dans cette activité d'abandon la quiétude que vous avez perdue ! Arrêtez-vous ensuite quand cette divine nature vous arrête ! Perdez, à plusieurs reprises de cessation d'activité[3], par des métamorphoses incompréhensibles, toutes vos anciennes formes, méthodes et manières pour vous revêtir, en mourant et en ressuscitant, de celle que cette divine nature vous désignera elle-même ! Faites ensuite votre soie en cachette, faites ce que vous ne pouvez voir ni sentir ! Sentez-vous une secrète agitation dans toute votre capacité, que vous [vous] condamnerez vous-même, tandis que, portant une secrète envie à vos compagnons qui sont morts et fixés, mais qui ne sont pas encore au terme où vous êtes, vous les admirerez encore, quoique vous les ayez passés. Soyez agité[4] par abandon pour filer une soie dont les princes de l'Église et de la terre et toutes sortes d'âmes se feront gloire de porter ! Après cela, que deviendrez-vous, petit ver, par où sortirez-vous ? Ô merveille de la grâce ! Le moyen qu'une âme trouve tant de formes autrement ? Qui sait où la grâce veut la mener ? Qui pourrait deviner ce que la nature fait d'un ver à

79

---

3. Ms : *de cessations et d'activité.*
4. Ms : *agitée.*

soie s'il [ne] l'avait vu ? Il faut lui présenter des feuilles, et c'est tout : la nature fait le reste[5].

Ainsi, chères âmes, vous ne pouvez connaître ni d'où vous venez, ni où vous allez, de quelle idée de Dieu la divine Sagesse vous tire et à quel terme elle vous conduit. Il ne vous reste qu'un abandon tout passif pour se laisser faire sans réflexion, sans modèle, sans exemple, sans méthode. Agissant quand c'est le moment d'agir, cessant quand c'est le moment de cesser, perdant quand c'est le moment de perdre et, de cette sorte, insensiblement agissant et cessant par attrait et par abandon, on lit, on laisse les livres, les personnes et on se tait, on écrit et on s'arrête, sans savoir jamais ce qui suivra. Et, après plusieurs transformations, l'âme consommée reçoit des ailes pour s'envoler dans les cieux, après avoir laissé sur la terre une semence féconde pour perpétuer son état dans les âmes.

---

5. L'image du ver à soie qui devient papillon (cf. Thérèse d'Avila, *Château intérieur*, Ve Demeures, ch. 2-3) est ici au service de la « passiveté » et de la « perte » mystiques.

VII[1]

Que l'ordre de Dieu fait toute notre sainteté. De la petitesse apparente de cet ordre pour certaines âmes que Dieu sanctifie sans éclat et sans efforts industrieux

L'ordre de Dieu, le bon plaisir de Dieu, la 80 volonté de Dieu, l'action de Dieu, la grâce, tout cela est une même chose. Le terme de cette divine chose en cette vie est la perfection. Ce terme se produit en nos âmes, s'y accroît, s'y augmente et se consomme à leur insu et en secret. La théologie est pleine de conceptions et d'expressions qui expliquent les merveilles de ce terme en chaque âme selon toute son étendue. On peut savoir toute cette spéculation, en parler admirablement, écrire, instruire, diriger les âmes, mais si l'on [n']a que cette spéculation dans l'esprit, on est à l'égard des âmes qui reçoivent le terme de l'ordre de Dieu et de sa divine volonté sans en savoir toute la théorie, sans en connaître toutes les parties et en pouvoir parler,

---

1. Ms : *Chapitre sixième (bis)*. Par un *bis*, la copiste a corrigé l'erreur qu'elle avait commise et qui affectera la suite de la numérotation des chapitres. La numérotation normale est ici rétablie.

on est, dis-je, comme un médecin malade à l'égard des personnes simples qui sont en parfaite santé. L'ordre de Dieu, sa divine volonté reçue avec simplicité par une âme fidèle opère en elle ce terme divin sans qu'elle le connaisse, comme une médecine prise avec soumission opère la santé à un malade qui ne sait et n'a que faire de savoir la médecine. Comme c'est le feu qui échauffe et non la philosophie et la connaissance de cet élément et de ses effets, c'est aussi l'ordre de Dieu, c'est sa volonté qui opère la sainteté dans nos âmes, et non la curieuse spéculation de ce principe et de ce terme.

Lorsqu'on a soif, pour se désaltérer il faut laisser les livres qui expliquent les choses et boire. La curiosité de savoir n'est capable que d'altérer davantage. Ainsi, lorsqu'on est altéré [2] de la sainteté, la curiosité de savoir n'est capable que de l'éloigner. Il faut laisser la spéculation et boire en simplicité tout ce que l'ordre de Dieu présente d'actions et de souffrances. Ce qui nous arrive à chaque moment par l'ordre de Dieu est ce qu'il y a de plus saint, de meilleur et de plus divin pour nous.

Toute notre science consiste à connaître cet ordre au moment présent. Toute lecture qui se fait autrement que par l'ordre de Dieu est nuisible. C'est la volonté de Dieu et son ordre qui est grâce et opère au fond de nos cœurs, lorsqu'on lit aussi bien que [dans] toutes les autres choses que l'on fait, et non pas les idées, espèces de lectures qui, destituées à notre égard

81

82

---

2. Ms : *altérées.*

de la vertu vivifiante de l'ordre de Dieu, ne sont que[3] lettre morte qui vide le cœur par la plénitude qu'elle cause à l'esprit. Cette divine volonté, s'écoulant dans l'âme d'une simple fille ignorante par le moyen de quelques souffrances ou de quelques actions, très distinguées par ses attraits[4] au milieu de ce qu'il y a de plus distrayant, opère au fond de son cœur ce terme mystérieux de l'être surnaturel sans remplir son esprit d'aucune idée surnaturelle. Au lieu que l'homme superbe, qui n'étudie les livres spirituels que par curiosité, la volonté de Dieu n'étant pas unie à sa lecture, ne reçoit que la lettre morte dans son esprit et se dessèche et s'endurcit toujours davantage.

L'ordre de Dieu ou sa divine volonté est la vie de l'âme sous quelque apparence que l'âme se l'applique ou la reçoive. Quelque rapport que cette divine volonté ait à l'esprit, elle nourrit l'âme et la fait croître toujours par ce qu'il y a de meilleur à chaque moment. Ce n'est ni ceci ni cela qui produit ces heureux effets, c'est ce qui est de l'ordre de Dieu au moment présent. Ce qui était le meilleur au moment passé ne l'est plus, parce qu'il est destitué de la volonté divine qui s'écoule sous d'autres apparences pour faire ce devoir du moment présent. Et c'est ce devoir, quelque apparence qu'il ait, qui est présentement ce qu'il y a de plus sanctifiant pour l'âme.

Si la divine volonté fait un devoir présent de lire, la lecture opère au fond du cœur le terme

83

---

3. Ms : *n'est qu'une.*
4. Les attraits provoqués par la volonté divine.

mystérieux. Si la divine volonté fait quitter la lecture pour un devoir de contemplation actuelle, ce devoir opère au fond du cœur le nouvel homme, et la lecture alors serait préjudiciable et inutile. Si la divine volonté retire de la contemplation actuelle pour entendre les confessions, etc., cela [durant] des temps considérables, le devoir forme Jésus-Christ au fond du cœur, et toute la douceur de la contemplation ne servirait qu'à la détruire. C'est l'ordre de Dieu qui est la plénitude de tous nos moments : ils s'écoulent sous mille apparences différentes qui deviennent successivement notre devoir présent, forment, font croître et consomment en nous l'homme nouveau, jusqu'à la plénitude que la divine sagesse a ordonné qui serait en nous[5].

Ce mystérieux accroissement de l'âge de Jésus-Christ en nos cœurs est le terme produit par l'ordre de Dieu, c'est le fruit de sa grâce et de sa volonté divine. Ce fruit, comme nous l'avons dit, se produit, s'accroît et se nourrit par la succession de nos devoirs présents que la même volonté de Dieu remplit, de sorte qu'en le suivant, c'est toujours le meilleur dans cette volonté sainte. Il n'y a qu'à la laisser faire et s'abandonner à l'aveugle avec une confiance parfaite. Elle est infiniment sage, infiniment puissante, infiniment bienfaisante pour les âmes qui espèrent totalement en elle et sans réserve, qui n'aiment et ne cherchent qu'elle seule, et qui croient avec une foi et une confiance inébranlable que ce qu'elle fait à chaque moment est le

84

---

5. Cf. *Colossiens* 3, 10-11.

mieux, sans chercher ailleurs le plus et le moins
et à comparer les rapports de tout le matériel de
l'ordre de Dieu, ce qui n'est qu'une pure
recherche de l'amour-propre.

La volonté de Dieu est l'essentiel, le réel et la
vertu de toutes choses. C'est elle qui les ajuste et
les rend propres à l'âme. Sans elle tout est vide,
néant et mensonge, vanité, lettre, écorce, mort.
La volonté de Dieu est le salut, la santé, la vie
du corps et de l'âme. Quelque expérience que
porte le sujet sur lequel elle s'applique à l'une et
à l'autre, que l'esprit en ait quelque idée qu'il lui
plaira[6], que le corps y sente ce qu'il pourra, ne
fût-ce pour l'esprit que distractions et troubles,
ne fût-ce pour le corps que maladies et morts,
cette divine volonté est cependant toujours, pour
le moment présent, la vie du corps et de l'âme.   85
Car enfin l'un et l'autre, dans quelque état qu'ils
soient, ne sont jamais soutenus[7] que par elle. Le
pain, sans elle, est un poison, par elle, est un
remède salutaire ; les livres, sans elle, ne font
qu'aveugler, et l'embarras, par elle, est une
lumière. Elle est le tout, le bon, le véritable en
toutes choses. En tout, elle se donne comme
Dieu, et Dieu est l'être universel. Il ne faut pas
regarder les rapports que les choses ont à l'esprit
et au corps pour juger de leur vertu, car en ce
point tout est indifférent. C'est la volonté de
Dieu qui donne aux choses, quelles qu'elles
soient, l'efficacité pour former Jésus-Christ dans
le fond de nos cœurs. Il ne faut point donner de

---

6. Ms : *quelques idées il lui plaira.*
7. Ms : *n'est jamais soutenue.*

bornes à cette volonté. L'action divine ne veut trouver dans la créature aucun obstacle, tout lui est également propre ou inutile. Tout est rien sans elle, [avec elle] le rien est tout.

Que la contemplation, la méditation, les prières vocales, le silence intérieur, les actes des puissances sensibles, ou distincts ou moins aperçus, la retraite ou l'action soient ce que l'on voudra en eux-mêmes. Le meilleur de tout cela pour l'âme est tout ce que Dieu en veut au moment présent ; et l'âme doit regarder tout cela avec une parfaite indifférence comme n'étant rien du tout. Aussi, ne le voyant qu'en lui, doit-elle prendre et laisser toutes choses à son gré pour ne vivre et ne se nourrir et n'espérer qu'en cet ordre et non dans les choses, qui n'ont de force et de vertu que par lui. Elle doit dire à chaque moment et à l'égard de tout, comme saint Paul : « "Seigneur, que voulez-vous que je fasse ?" [8] Et non ceci et cela, mais tout ce que vous voudrez. L'esprit aime cela, le corps ceci, mais, Seigneur, je ne veux que votre sainte volonté. L'oraison, l'action, la prière vocale ou mentale, en acte ou en silence, en foi ou en lumière, en distinction d'espèces ou en grâce générale, tout, Seigneur, n'est rien, car votre volonté est le réel et l'unique vertu de tout cela. C'est elle seule qui est le point de ma dévotion et non les choses, quelque sublimes ou élevées qu'elles soient. Car c'est la perfection du cœur et non de l'esprit qui est le terme de la grâce. »

La présence de Dieu qui sanctifie nos âmes est

8. *Actes des Apôtres* 9, 6.

cette habitation de la sainte Trinité qui s'écoule
au fond de nos cœurs, lorsqu'ils se soumettent à
la divine volonté. Car la présence de Dieu qui
se fait par l'acte de la contemplation n'opère en
nous cette union intime que comme les autres
choses qui sont de l'ordre de Dieu. Elle tient
toujours le premier rang entre elles parce qu'elle
est le moyen excellent de s'unir à Dieu, lorsque
la divine volonté ordonne qu'on en fasse usage.
C'est par l'union à la volonté de Dieu qu'on
jouit de lui, qu'on le possède, et c'est une illusion de chercher cette divine jouissance par un
autre moyen. La volonté de Dieu est le moyen   87
universel. Le moyen n'est ni de cette manière ni
de cette autre, mais il a la vertu de sanctifier
toutes les manières et toutes les façons particulières. Cette divine volonté s'unit à nos âmes en
mille façons différentes et celle qu'elle nous
approprie est toujours le meilleur pour nous.
Toutes doivent être estimées et aimées, car tout
dans ce qui les accompagne [9] est l'ordre de Dieu
qui s'accommode à chaque âme pour opérer
l'union divine, choisissant pour cela la matière.
Et les âmes doivent s'en tenir à ce choix sans
en faire elles-mêmes, préférant cette pratique de
cette volonté adorable ; l'aimer et l'estimer de
même dans ce qu'il marque aux autres. Par
exemple, si ce même ordre me prescrit des
prières vocales, des sentiments affectifs, des
lumières sur les mystères, j'aimerai et estimerai
le silence et la nudité que la vue de la foi opère
dans les autres, mais pour moi je ferai usage de

---

9. Ms : *toutes dans ce qui les accompagnent.*

ce devoir présent, et par lui je m'unirai à Dieu. Je ne réduirai point, comme les quiétistes, toute la religion au néant d'actions distinctes [10], méprisant tout autre moyen. Car ce qui fait la perfection est l'ordre de Dieu, qui rend bon à l'âme tout moyen auquel elle l'applique. Non, je ne donnerai ni bornes, ni figures, ni limites à la volonté de Dieu, mais je la recevrai sous toutes les formes par lesquelles elle [11] voudra se communiquer, et estimerai toutes celles où il lui plaira s'unir aux autres. Ainsi toutes les âmes simples n'ont qu'une seule voie générale, qui se différencie et se particularise en tout pour faire la variété de la robe mystique.

Toutes les âmes simples s'approuvent et s'estiment réciproquement les unes les autres. Elles se disent toutes : « Allons, chacune par notre sentier, au même terme, unies dans le même point et par le même moyen de l'ordre de Dieu qui est en nous toutes si varié ! » C'est dans ce sens qu'il faut lire la vie des saints et les livres spirituels, sans jamais prendre le change et quitter sa voie. C'est pour cela qu'il est tout à fait nécessaire de ne lire et n'avoir d'entretiens spirituels que par l'ordre de Dieu. Car si cet ordre en fait un devoir présent, l'âme, bien loin de prendre le change, sera affermie dans sa voie par cela même qui en est différent en sa lecture. Mais si l'ordre de Dieu ne fait pas un devoir présent de cette lecture et de ce commerce spirituel, on en sortira toujours avec trouble, et on se

---

10. Ms : *d'instincts.*
11. Ms : *toutes les formes qu'elle.*

trouvera dans une confusion d'idées et une variation continuelle, parce que, sans l'ordre de Dieu, il ne peut y avoir de l'ordre nulle part. Jusqu'à quand occuperons-nous donc le libre, la capacité de notre âme des particularités[12] de nos moments présents ? Quand est-ce que Dieu nous sera tout en toutes choses ? Laissons le ceci, le cela se faire sentir selon qu'il est, et vivons au-delà très purement de Dieu même !

89

C'est pour cela que Dieu répand tant de destructions, de néants, de morts, d'obscurités, de confusions, de bassesse dans tout ce qui arrive à certaines âmes. Il n'y a rien, en ce qu'elles souffrent ni en ce qu'elles font, qui ne soit que très petit et très méprisable à leurs yeux et à ceux des autres. Il n'y a rien d'éclatant dans tous leurs moments, tout y est commun. Ce n'est au-dedans que trouble, au-dehors que contradiction et desseins renversés : un corps infirme et sujet à mille besoins, qui ne sent rien que le contre-pied de tant de pauvretés et d'austérités qui ont fait admirer les saints. On ne voit ni aumônes excessives, ni zèle ardent et étendu. Et l'âme est ainsi nourrie, quant aux sens et à l'esprit, d'une nourriture tout à fait dégoûtante, car rien de cela ne lui plaît. Elle aspire à tout autre chose, mais toutes les avenues de cette sainteté si désirée sont fermées. Il faut vivre de ce pain d'angoisse, de ce pain de cendre avec une contrainte intérieure et extérieure

90

---

12. Ms : *particulières*. L'âme ne doit pas s'attacher à des manières particulières de s'unir à Dieu. Le « particulier », comme le « propre », fait obstacle à l'ordre de Dieu.

continuelle, il faut sentir une idée de sainteté qui sans cesse fait la guerre d'une façon impitoyable et irrémédiable. La volonté en est affamée, mais il n'y a pas moyen de venir à l'effet. Pourquoi tout cela, sinon afin que l'âme soit mortifiée dans ce qu'il y a de plus spirituel et de plus intime, et que, ne trouvant ni goût ni satisfaction en rien de ce qui lui arrive, elle mette tout son goût en Dieu qui la mène exprès par cette voie, afin qu'il n'y ait que lui seul qui puisse lui plaire ? Laissons donc l'écorce de notre vie pénible, puisqu'elle ne sert qu'à nous humilier à nos yeux et aux yeux des autres. Ou plutôt cachons-nous sous cette écorce et jouissons de Dieu qui seul est tout notre bien. Servons-nous de cette infirmité, de ces besoins, de ces soins, de ces nécessités de nourriture, d'habits, de meubles, de mauvais succès, de ce mépris des autres, de ces craintes, incertitudes, de ces troubles pour trouver tout notre bien en la jouissance de Dieu qui, par ces choses, se donne à nous, entièrement à nous, comme notre unique bien.

Dieu veut être en nous pauvrement, sans les accompagnements de sainteté qui rendent les âmes admirables. C'est que Dieu seul veut être seul l'objet de notre cœur et désire que lui seul nous plaise. Et nous sommes si faibles que si l'éclat de l'austérité, du zèle, de l'aumône, de la pauvreté y était, nous ferions de cela une partie de notre joie. Mais, dans notre voie, il n'y a rien qui ne nous soit désagréable et, par ce moyen, Dieu est toute notre sanctification et notre appui.

91

106

Et le monde ne peut que nous mépriser et nous laisser en paix jouir de notre trésor.

Dieu veut être le principe de tout ce qu'il y a en nous de saint. Et, pour cela, tout ce qui dépend de nous et de notre fidélité active est très petit et tout l'opposé, ce semble, de la sainteté. Il ne peut y avoir en nous rien de grand aux yeux de Dieu que par voie passive. Ainsi n'y pensons plus : laissons à Dieu le soin de notre sainteté. Il en sait les moyens : ils dépendent tous d'une protection et d'une opération singulière de sa providence, ils s'exécutent ordinairement à notre insu et par cela même que nous rebutons le plus et à quoi nous nous attendons le moins. Marchons en paix dans les petits devoirs de notre fidélité active, sans aspirer aux grands. Car Dieu ne veut pas se donner par nos soins. Nous serons les saints de Dieu, de sa grâce et de sa provi- 92 dence spéciale. Il sait le rang qu'il veut nous donner. Laissons-le faire et, sans nous former désormais de fausses idées et de vains systèmes de sainteté, contentons-nous de l'aimer sans cesse, en marchant avec simplicité dans la route qu'il nous a tracée et où tout est si petit à nos yeux et aux yeux du monde.

VIII

Qu'il faut se sacrifier à Dieu
par l'amour du devoir
et de la fidélité à le remplir,
et de la part qui est confiée à l'âme
dans l'ouvrage de sa sanctification.
Dieu fait le reste

Sacrificate sacrificium justitiae et sperate in Domino. « Sacrifiez, disait le Prophète, un sacrifice de justice et espérez au Seigneur »[1].

C'est-à-dire que le grand et le solide fondement de la vie spirituelle est de se donner à Dieu pour être le sujet de son bon plaisir pour tout, à l'intérieur et extérieur, et s'oublier si bien ensuite qu'on se regarde comme une chose vendue et livrée, à laquelle on n'a plus aucun droit, de sorte que tout est pour le bon plaisir de Dieu, de façon qu'il fasse toute notre joie et que son bonheur et sa gloire, son être, fassent notre unique bien. Ce fondement posé, l'âme n'a qu'à passer toute sa vie à se réjouir de ce que Dieu est Dieu, laissant son propre être tellement à son bon plaisir que le contentement soit égal de faire ceci ou cela ou le contraire, selon que ce bon plaisir en disposera, ne faisant aucune réflexion sur l'usage que ce bon plaisir en fait.

93

_____

1. *Psaume* 4, 6.

Le bon plaisir de Dieu use de notre être en deux manières : ou il l'oblige à faire de certaines choses, ou il opère simplement en lui. La première exige de nous une fidèle application au bon plaisir manifeste ou inspiré ; la seconde, une simple et passive soumission aux impressions du bon plaisir de Dieu. L'abandon renferme tout cela, n'étant autre qu'une parfaite soumission à l'ordre de Dieu selon la nature du moment présent. Il importe peu à l'âme de savoir en quelle manière elle est obligée de s'abandonner et quelles sont les qualités du moment présent. Mais il lui importe absolument qu'elle soit abandonnée sans réserve.

94

L'abandon dans le cœur renferme toutes les manières possibles, car l'être propre étant livré au bon plaisir de Dieu, ce transport fait par le pur amour est pour toute l'étendue des opérations de ce bon plaisir. Ainsi l'âme, à chaque moment, exerce un abandon à l'infini, et toutes les qualités possibles et les manières sont renfermées dans sa vertu. Ce n'est donc point du tout l'affaire de l'âme de déterminer l'objet de la soumission qu'elle doit à Dieu, mais sa seule occupation est simplement d'être soumise pour tout[2] et prête à tout. C'est là l'essentiel de l'abandon, c'est ce que Dieu exige de l'âme. Et ce don libre du cœur qu'il demande, c'est l'abnégation, l'obéissance, c'est l'amour. Le reste est l'affaire de Dieu. Et soit que l'âme agisse avec soin pour remplir le devoir auquel son état et le devoir l'obligent, soit qu'elle suive avec douceur

---

2. Ms : *toutes.*

un attrait inspiré ou qu'elle se soumette en paix aux impressions de la grâce pour le corps et pour l'âme, en tout cela elle exerce au fond du cœur un même acte universel, général, d'abandon, qui n'est point du tout limité par le terme et l'effet spécial qui en paraît au moment, mais qui, au fond, a tout le mérite et l'efficacité que la bonne volonté sincère a toujours quand l'effet ne dépend point d'elle : ce qu'elle a voulu faire est réputé pour effet devant Dieu. Si le bon plaisir de Dieu donne des bornes à l'exercice des facultés particulières, il n'en donne point à celui de la volonté. Le bon plaisir de Dieu, l'être et l'essence de Dieu font l'objet de la volonté[3] et, par l'exercice de l'amour, Dieu[4] s'unit à elle sans bornes, sans manières, sans mesures. Si cet amour ne se termine dans les facultés qu'à ceci ou cela, c'est que la volonté de Dieu s'y termine elle-même, c'est qu'elle se raccourcit pour ainsi dire et s'abrège dans la qualité du moment présent, et passe ainsi dans les facultés et, de là, dans le cœur, parce qu'il est pur, sans limites et sans réserve, et se communique à lui à cause de sa capacité infinie opérée par la pureté de l'amour qui, l'ayant vidé de toutes choses, l'a rendu capable de Dieu.

95

---

3. La volonté n'est pas à entendre d'abord au sens moderne de faculté de se décider et de se tenir à sa décision. Dans l'anthropologie traditionnelle, la volonté est, avec l'intellect et la mémoire, l'une des trois facultés qui constituent l'âme. Elle désigne la capacité d'être affecté, donc de désirer et d'aimer. Elle est le siège de l'amour. Dans la tradition franciscaine, jésuite et salésienne, c'est par la volonté d'abord que l'homme peut être uni à Dieu, secondairement par l'intellect.

4. Ms : *l'amour de Dieu*.

Ô saint dégagement ! c'est toi qui fais place à [5] Dieu ! ô pureté ! ô purification en tout [6] ! ô soumission sans réserve ! c'est toi qui attires Dieu dans le fond des cœurs. Que les facultés soient après cela tout ce qu'il leur plaira, vous êtes, Seigneur, tout mon bien. Faites tout ce que vous voudrez de ce petit être. Qu'il agisse, qu'il soit inspiré, qu'il soit le sujet de vos impressions, tout est un en tout, et vôtre. Tout est à vous, de vous et pour vous. Je n'ai plus rien à y voir ni à y faire, pas un seul moment de ma vie n'est de mon ordonnance, tout est à vous. Je ne dois rien ajouter ni diminuer, ni chercher, ni réfléchir, c'est à vous de tout régler. La sainteté, la perfection, le salut, la direction, la mortification, c'est votre affaire. La mienne, Seigneur, est d'être content [7] de vous et ne m'approprier aucune action, ni passion, mais laisser tout à votre bon plaisir.

La doctrine du pur amour ne se donne que par l'action de Dieu et non par l'effort de l'esprit. Dieu instruit le cœur non par des idées, mais par les peines et les traverses. Cette science est une connaissance pratique par laquelle on goûte Dieu comme l'unique bien. Pour avoir cette science il faut être dégagé [8] de tous les biens particuliers. Et, pour arriver à ce but, il faut en être privé [9]. Ainsi ce n'est que par une traverse continuelle et une longue suite de mortifications de toutes

---

5. Ms : *de.*
6. Ms : *ô précipitation, ô tout.*
7. Ms : *contente.*
8. Ms : *dégagée.*
9. Ms : *privée.*

sortes d'inclinations et affections particulières
que l'on est établi dans le pur amour. Il en faut
venir au point que tout le créé ne soit plus rien
et que Dieu soit tout. Et, pour cela, il faut que
Dieu s'oppose à toutes les affections particulières de l'âme, de sorte que, dès qu'elle se porte
à quelques formes spéciales, à quelque idée de
piété, à quelques moyens de perfection ou de
dévotion, par tels desseins, telles voies ou
chemins pour y arriver, soit encore à des attaches
de [10] personnes pour nous y introduire, ou enfin
à quoi que ce soit, Dieu déconcerte nos vues et
permet qu'au lieu de ces projets, nous ne trou-
vions en tout que [11] confusion, que troubles, que
vide, que folie. À peine a-t-elle [12] dit : « C'est par
là qu'il faut aller, c'est à cette personne, c'est
de telle manière qu'il faut agir », aussitôt Dieu
dit tout le contraire et retire sa vertu du moyen
déterminé par l'âme. Ainsi, ne trouvant en tout
que pure créature et conséquemment que vrai
néant, l'âme est contrainte de recourir à Dieu
même et de se contenter de lui.

98

L'âme de qui le bien et le bonheur de Dieu
devient le sien ne se répand plus par amour et
par confiance dans les choses créées, ne les
admet que par devoir, par ordre de Dieu et par
application spéciale de sa volonté. Elle vit
au-dessus de cette abondance et de cette disette
dans la plénitude de Dieu qui est son bien

---

10. Ms : *des.*

11. Ms : *et ne permet qu'au lieu de ces projets nous trou-
vions en tout.*

12. Ms : *a-t-il.*

permanent. Dieu trouve cette âme toute vide de propres inclinations, de propres mouvements, de propre choix : c'est un sujet mort et exposé dans une indifférence universelle. Le tout de l'être divin, venant ainsi à paraître au fond du cœur, répand sur la surface des êtres créés une surface de néant qui absorbe toutes leurs distinctions et toutes leurs variétés. Ainsi le créé au fond du cœur est sans vertu et sans efficace, et le cœur sans tendances et inclinations vers le créé parce que la majesté de Dieu en remplit toute la capacité. Le cœur vivant ainsi de Dieu est mort à tout le reste et tout est mort pour lui. C'est à Dieu, qui donne la vie à toutes choses, à vivifier l'âme à l'égard du créé et le créé à l'égard de l'âme. C'est l'ordre de Dieu qui est cette vie. Le cœur, par cet ordre, est porté vers la créature et, par cet ordre, la créature est portée vers l'âme et admise. Sans cette vertu divine du bon plaisir de Dieu, le créé n'est point admis par l'âme et l'âme ne s'y porte point. Cette réduction de tout le créé premièrement dans le néant et [13] ensuite dans le point de l'ordre de Dieu, fait que chaque moment est à l'âme Dieu même [14] et toutes choses. Car chaque moment est un contentement de Dieu seul au fond du cœur et un abandon sans réserve à tout le créé possible, ou plutôt au créé et au créable dans l'ordre de Dieu. Chaque moment renferme donc tout.

La pratique d'une théologie si admirable consiste dans une chose si simple, si aisée, si

---

13. Ms : *est.*
14. Ms : *chaque moment Dieu est à l'âme Dieu même.*

présente qu'il n'y a qu'à le vouloir pour l'avoir. Ce dégagement, cet amour si pur, si universel, consiste en activité, en passiveté, en ce que l'âme doit faire avec la grâce et ce que la grâce doit opérer en elle sans exiger autre chose qu'abandon et consentement passif, c'est-à-dire tout ce que Dieu veut faire lui-même et que la théologie mystique explique par une infinité de subtiles conceptions, qu'il est souvent meilleur à l'âme de ne point savoir, puisque la pratique n'exige que pur oubli et abandon. 100

Il suffit donc pour l'âme de savoir ce qu'elle doit faire. Cela est la chose du monde la plus aisée : c'est d'aimer Dieu comme le grand et l'unique tout, être content de ce qu'il est et s'acquitter de son devoir d'obligation avec soin et prudence. Une âme simple, par ce seul exercice, par ce chemin si droit, si éclairé et si gardé, marche à pas couverts et en assurance. Et tout l'admirable expliqué par la théologie mystique, qui consiste en croix et faveurs intérieures et extérieures, est opéré à l'insu de l'âme par la volonté de Dieu qui, pendant qu'elle ne pense qu'à aimer et obéir, *fæcit mirabilia magna solus* [15], fait tout cela et le fait par des moyens qui sont tels que, plus l'âme s'abandonne, s'abstrait et se sépare de tout ce qui se passe en elle, plus cet ouvrage se perfectionne. Tandis que ses réflexions, ses recherches, ses industries ne pourraient que s'opposer à la manière d'agir de Dieu dans laquelle est tout son bien, car il la sanctifie, purifie, la dirige, l'éclaire, l'élève,

---

15. « Lui seul a fait des merveilles » (*Psaume* 136, 4).

l'étend, la rend utile aux autres, la rend apostolique par des façons et des moyens où la
réflexion ne fait voir sensiblement que le
contraire.

Dans le moment présent, tout est de nature à
tirer l'âme de son sentier d'amour et d'obéissance simple. Il faut un abandon et un courage
héroïque pour se tenir stable dans la simple fidélité active et chanter sa partie avec assurance,
tandis que la grâce chante la sienne sur des airs
et des tons qui ne font rien moins que de donner
à entendre à l'âme qu'elle est trompée et perdue.
Elle n'entend à ses oreilles que cela. Et si elle a
le courage de laisser gronder le tonnerre et les
éclairs, les tempêtes et foudres, de marcher de
pied ferme dans le sentier de l'amour et de
l'obéissance au devoir et à l'attrait présent, on
peut dire qu'elle est semblable à l'âme de Jésus
et qu'elle porte l'état de sa passion, pendant
laquelle ce divin Sauveur marchait d'un pas égal
dans l'amour de son Père et la soumission à sa
volonté, en lui laissant faire les choses en apparence les plus contraires à la dignité d'une âme
aussi sainte que la sienne.

Les cœurs de Jésus et de Marie, laissant le
bruit de cette nuit si obscure, ils la laissent
percer, et l'orage se fondre. Un déluge de
choses, selon leur apparence toutes opposées aux
desseins de Dieu et à ses ordres, abîment les
facultés de Jésus et de Marie, et, par la pointe du
cœur, ils marchent sans s'ébranler dans le sentier
de l'amour et de l'obéissance. Ils fixent uniquement les yeux sur ce qu'ils ont à faire et laissent
faire à Dieu ce qui les regarde. Ils sentent toute

la pesanteur de cette action divine, ils gémissent sous le poids, mais ils ne chancellent et ne s'arrêtent pas un seul instant. Ils croient que tout ira bien pourvu que le cœur laisse faire Dieu et se tienne dans sa voie. Quand l'âme va bien, tout va bien, car ce qui est de Dieu, c'est-à-dire sa partie et son action, est pour ainsi dire le centre et le contrecoup de la fidélité de l'âme. Elle pousse l'âme et l'âme se repousse vers elle. C'est le beau côté de l'ouvrage qui se fait à peu près comme les superbes tapisseries qui se travaillent point par point et à l'envers : l'ouvrier qui s'y emploie n'y voit que son point et son aiguille, et tous ces points remplis successivement font des figures magnifiques qui ne paraissent que lorsque, toutes les parties étant achevées, on expose le beau côté au jour. Mais pendant le temps du travail, tout ce beau et merveilleux est dans l'obscurité.

Il en est de même de l'âme abandonnée : elle ne voit que Dieu et son devoir. L'accomplissement de ce devoir n'est à chaque moment que comme un point imperceptible ajouté à l'ouvrage. Et cependant c'est avec ces points que Dieu opère ses merveilles dont on a quelquefois des pressentiments dans le temps, mais qui ne seront bien connues que dans le grand jour de l'éternité. Que la conduite de Dieu est pleine de bonté et de sagesse ! Il a tellement réservé à sa seule grâce et à sa seule action tout ce qu'il y a de sublime et de relevé, de grand, d'admirable dans la perfection et la sainteté ; il a [tellement] laissé à nos âmes aidées du secours de la grâce ce qui est petit, clair, facile, qu'il n'y a personne

103

au monde à qui il ne soit aisé d'arriver à la perfection la plus éminente. Tout ce qui est de l'état, du devoir, des [16] qualités du corps est à la portée du chrétien. Excepté le péché, voilà tout ce que Dieu lui demande pour occuper sa fidélité active. Il n'attend de nous que de nous voir accomplir sa volonté signifiée par nos devoirs selon nos forces corporelles et spirituelles, en demeurant exacts à nos autres obligations, selon notre pouvoir. N'y a-t-il donc rien de plus facile et de [plus] raisonnable ? Quelle excuse à alléguer ? C'est là cependant tout l'ouvrage que Dieu exige de l'âme dans l'ouvrage de sa sanctification. Il l'exige des grands et petits, des forts, des infirmes, en un mot de tous, en tout temps et tout lieu. Il est donc vrai qu'il ne demande de notre part [que] l'aisé et le facile, puisqu'il suffit de posséder ce fonds si simple pour arriver à une éminente sainteté.

Mais qu'est-ce donc que ce devoir qui, de notre part, fait toute l'essence de notre perfection ? Il y en a de deux sortes : un devoir général que Dieu impose à tous les hommes, et des devoirs particuliers qu'il prescrit à chacun, par lesquels il engage chaque homme dans les différentes conditions, et par conséquent à y remplir les devoirs prescrits par les commandements de Dieu, qui nous obligent à son amour, qui nous portent aux conseils [17] autant qu'ils peuvent

---

16. Ms : *les.*
17. Les « conseils » évangéliques, traditionnellement distingués des « commandements » ou « préceptes » qui, eux, s'imposent à tous.

devenir l'objet des attraits de sa grâce. Ce qu'il demande de chacun, ce n'est que suivant la capacité reçue, ce qui prouve son équité.

Ô vous tous qui tendez à la perfection et qui êtes tentés de vous décourager à la vue de ce que vous lisez dans la vie des saints et de ce que les livres de piété prescrivent ! ô vous qui vous accablez vous-mêmes par les idées terribles que vous vous formez de la perfection ! c'est pour votre consolation que Dieu veut que j'écrive ceci. Apprenez ce que vous paraissez ignorer. Ce Dieu de bonté a rendu aisées toutes les choses nécessaires et communes dans l'ordre naturel, comme l'air, l'eau et la terre : rien de plus nécessaire que la respiration, le sommeil, la nourriture, mais aussi rien de plus facile. En vertu du commandement que Dieu en a fait, l'amour et la fidélité ne sont pas moins nécessaires dans l'ordre surnaturel. Il faut donc que les difficultés ne soient pas si grandes qu'on se les représente. Or ces choses, même [de] si peu de conséquence, Dieu veut bien s'en contenter dans la part que l'âme doit avoir dans l'ouvrage de sa perfection. Il s'en explique lui-même trop clairement pour en douter ; *Deum time et observa mandata est omnis homo* [18], c'est-à-dire : voilà tout ce que l'homme doit faire de son côté, voilà en quoi consiste sa fidélité active. Qu'il remplisse sa partie, Dieu fera le reste, la

105

---

18. Citation fautive *(Deum time et mandata ejus observa ; hoc est enim omnis homo)* : « Crains Dieu et observe ses commandements ; voilà tout l'homme » *(Ecclésiaste* 12, 13).

grâce se le réservant à elle seule. Les merveilles qu'elle opérera passent toute l'intelligence de l'homme. Car ni l'oreille n'a entendu, ni l'œil n'a point vu, ni le cœur n'a senti ce que Dieu conçoit dans son idée [19], résout dans sa volonté et exécute par sa puissance dans les âmes qui portent ce simple fond, cette toile si unie, cette couche si aisée à appliquer, ces traits si beaux et si achevés et finis ; ces figures si admirables, que les mains de la divine Sagesse savent seules faire en travaillant sur le fond de cette simple toile d'amour et d'obéissance que l'âme tient tendue sans penser, sans chercher, sans réfléchir pour connaître ce que Dieu ajoute : car elle se fie à lui, elle s'abandonne et, tout occupée de son devoir, elle ne pense ni à elle, ni à ce qui lui est nécessaire, ni aux moyens de se le [20] procurer.

Plus elle s'applique à son petit ouvrage tout simple et tout caché, tout secret et tout méprisable qu'il est à l'extérieur, plus Dieu le diversifie, l'embellit, l'enrichit par la broderie et les couleurs qu'il y mêle : *mirificavit Dominus sanctum, etc.* [21]. Il est vrai qu'une toile simplement abandonnée à l'aveugle au pinceau ne sent à chaque moment que la simple application du pinceau. Chaque coup de ciseau ne peut faire sentir à une pierre aveugle qu'une pointe cruelle qui la détruit. Car la pierre, par ces coups réitérés, ne sent rien moins que la figure que l'ouvrier opère en elle. Elle ne sent qu'un ciseau

---

19. Cf. *1 Corinthiens* 2, 9.
20. Ms : *les.*
21. « Pour son saint, Dieu a fait merveille » (*Psaume* 4, 4).

qui la diminue, qui la racle, qui la coupe, qui la défigure. Et une pauvre pierre, par exemple, que l'on veut faire devenir un crucifix, une statue, et qui ne le sait pas, [si] on lui demande : « Qu'est-ce donc qui se passe en toi ? », elle pourrait répondre : « Ne me le demandez pas ! Car, quant à moi, je n'ai autre chose à savoir et à faire qu'à me tenir ferme sous la main de mon maître, et à aimer ce maître, et à souffrir son action pour l'ouvrage auquel je suis destinée. C'est à lui de connaître le moyen de l'exécuter. J'ignore ce qu'il fait et ce que je deviens par son opération. Je sais seulement que ce qu'il fait est le meilleur et le plus parfait, et je reçois chaque coup de ciseau comme ce qu'il y a de plus excellent pour moi, quoiqu'à dire le vrai, chaque coup ne porte dans mon sentiment que l'idée d'une ruine, d'une destruction, de défigurement. Mais je laisse tout cela et, contente du moment présent, je ne pense qu'à ce qui est du devoir, et je reçois l'opération de ce maître habile sans le connaître et sans m'en occuper ».

Oui, chères âmes, âmes simples, laissez à Dieu ce qui lui appartient et filez en paix et doucement votre quenouille. Tenez pour vous que ce qui se passe intérieurement est le meilleur ainsi qu'extérieurement. Laissez faire Dieu et, à lui abandonnées, laissez la pointe du ciseau et de l'aiguille agir. Ne sentez pour toutes ces variétés si grandes qu'une simple apposition de couleurs qui paraît propre à barbouiller votre toile. Ne correspondez à toutes ces opérations divines que par la manière si uniforme et si simple d'une entière remise, de l'oubli et de

108

l'application à votre devoir. Marchez dans votre ligne et, sans savoir la carte du pays, les tenants et aboutissants, les noms, les qualités, les lieux, marchez à l'aveugle sur cette ligne, et tout cela vous sera appliqué passivement. Cherchez le seul règne de Dieu et sa justice par l'amour de l'obéissance, et tout vous sera donné.

On voit un grand nombre d'âmes qui s'inquiètent et qui demandent : « Qui nous donnera la sainteté et la perfection, la mortification, la direction ? [22] » Laissez-les dire, laissez-les chercher dans les livres les termes, les qualités de ce merveilleux ouvrage, sa nature et ses parties. Quant à vous, demeurez en paix dans l'unité de Dieu par votre amour et marchez à l'aveugle dans le sentier ferme et droit de vos obligations : les anges sont à côté de cette nuit et leurs mains servent de barrière. Si Dieu veut de vous davantage, son inspiration vous le fera connaître. L'ordre de Dieu donne à toutes choses un ordre surnaturel et divin. Tout ce qu'il touche, tout ce qu'il renferme et tous les objets sur lesquels il se répand, deviennent [23] sainteté et perfection, car sa vertu n'a point de bornes. Pour diviniser ainsi toutes choses et ne point s'écarter à gauche, il faut considérer si l'inspiration reçue de Dieu, telle que l'âme se le persuade, ne l'éloigne point des devoirs de son état. En ce cas, l'ordre de Dieu doit être préféré, il n'y a rien à craindre, à exclure, à distinguer. Et c'est pour l'âme le

---

22. Cf. *Psaume* 4, 6 : « Beaucoup disent : qui nous fera voir le bonheur ? »
23. Ms : *devient*.

moment précieux et le plus salutaire pour elle, pouvant s'assurer qu'elle accomplit le bon plaisir de son Dieu.

Chaque saint est saint par ces mêmes devoirs auxquels cet ordre l'applique. Ce n'est point [par] les choses en elles-mêmes, leurs natures, qualités propres, qu'il faut mesurer la sainteté, ce n'est que par cet ordre suivi, qui marque la sainteté de l'âme et l'opère en elle, l'éclairant, la purifiant et mortifiant. Toute la vertu de ce qui s'appelle saint est donc dans cet ordre de Dieu. Ainsi il ne faut rien rechercher, rien rejeter, mais prendre tout de sa part et rien sans lui. Les livres, les avis des sages, les prières vocales, les affections intérieures, si l'ordre de Dieu les ordonne, tout cela instruit, dirige, unit. En vain le quiétisme ne veut point adopter tous [ces] moyens et tout le sensible, car il y a des âmes que Dieu veut faire aller par cette voie, et leurs états et leurs attraits le marque[nt] assez sensiblement. En vain l'on se figure des façons d'abandon où toute la propre activité est rejetée, car si l'ordre de Dieu est qu'on se procure certaines choses par soi-même, l'abandon consiste à le faire. En vain on détermine, le plus parfait est la soumission à l'ordre de Dieu. Cet ordre, pour les uns, se borne aux devoirs de leur état et à ce qui vient de providence sans aucune activité, voilà le plus parfait de ceux-là. Pour les autres, outre ce qui vient de providence sans activité, cet ordre marque encore plusieurs autres devoirs singuliers, plusieurs actions qui s'étendent au-delà de l'état. L'attrait et l'inspiration sont alors la marque de l'ordre de la volonté de Dieu. Et le

110

plus parfait de ces âmes est d'ajouter toutes les choses inspirées, mais avec les précautions que l'inspiration exige, aux devoirs de l'état et aux choses de pure providence. Et d'aller se figurer que ces âmes sont plus ou moins parfaites, précisément à cause des différentes choses où elles sont appliquées, c'est placer la perfection non dans la soumission à l'ordre de Dieu, mais dans les choses. Dieu se forme les saints comme il lui plaît. C'est son ordre qui les fait tous, et tous sont soumis à cet ordre. Cette soumission est le véritable abandon, c'est le plus parfait.

Les devoirs de l'état et ce qui vient de providence sont communs à tous les saints, c'est ce que Dieu marque à tous généralement. Ils vivent cachés dans l'obscurité, car le monde est si malheureux qu'ils évitent les écueils, mais ils ne comptent pas pour cela être des saints. Plus ils sont soumis à cet ordre de Dieu, plus aussi ils se sanctifient. Mais il ne faut pas croire que ceux en qui Dieu fait éclater les vertus par des actions singulières et extraordinaires, par des attraits et inspirations non suspects dans l'ordre de Dieu qui devient un devoir, en aillent pour cela moins par la voie d'abandon. Ils ne seraient pas abandonnés à Dieu et à sa volonté, et elle ne serait pas maîtresse de tous leurs moments, et tous leurs moments ne seraient pas la volonté de Dieu s'ils se contentaient des devoirs de leur état et des choses de pure providence. Il faut qu'ils s'étendent et se mesurent selon l'étendue des desseins de Dieu par cette voie qui leur est intimée par l'attrait, et [que] l'inspiration leur soit un devoir et qu'ils y soient fidèles. Et comme il y a des âmes dont tout le devoir est marqué par une loi extérieure et qui s'y doivent[24] tenir renfermées parce que l'ordre de Dieu les y resserre, il faut que les autres, outre le devoir extérieur, soient encore fidèles à cette loi intérieure que le Saint-Esprit leur grave dans le cœur.

Mais qui sont les plus saints ? C'est pure et vaine curiosité de le chercher. Chacun doit suivre la route qui lui est tracée. La sainteté consiste à se soumettre à l'ordre de Dieu et à ce qui s'y trouve de plus parfait. Le reste de ces connaissances ne nous avance de rien, puisque ce n'est point dans la quantité ou qualité des choses ordonnées qu'il faut rechercher la sainteté. Si l'amour propre est le principe qui nous fait agir, ou s'il n'est pas rectifié lorsque l'on s'aperçoit de ses recherches, on sera toujours pauvre dans l'abondance que l'ordre de Dieu ne remplit pas. Cependant, pour décider en quelque chose la question, je pense que la sainteté répond à l'amour qu'on a pour le bon plaisir de Dieu, 113 et que plus cet ordre et volonté sont aimés, de quelque nature que soit le matériel qui les ordonne[25], plus aussi il y a de sainteté. Et cela se voit en Jésus, Marie et Joseph, car dans leur vie particulière il y a eu plus de grandeur et de forme que de matière. Et on n'écrit pas que ces personnes si saintes aient cherché la sainteté des

---

24. Ms : *s'y doivent s'y.*

25. Quelles que soient les choses qui expriment l'ordre et la volonté de Dieu. Ms : *de quelque nature que ce soit le matériel qui les ordonne.*

choses, mais seulement la sainteté dans les choses. Il faut donc conclure qu'il n'y a point de voie particulière et singulière qui soit la plus parfaite, mais que le plus parfait en général est la soumission à l'ordre de Dieu, chacun dans son état et condition[26].

Le premier devoir est le nécessaire, auquel il faut même se contraindre. Le second est le devoir de l'abandon et pure passiveté. Le troisième demande beaucoup de simplicité, de douce et suave cordialité, mobilité d'âme au souffle de la grâce qui fait tout faire, car on ne fait que se laisser aller et obéir simplement, librement, à ses impressions. Et pour n'y être point trompé[27], Dieu ne manque jamais de donner aux âmes de sages conducteurs qui marquent la liberté ou la réserve que l'on doit avoir pour faire usage de ses inspirations. Et c'est le troisième devoir, qui proprement excède toute loi, toute forme et toute manière déterminée. C'est ce qui fait le singulier et l'extraordinaire dessein, c'est ce qui règle leurs prières vocales, leurs paroles intérieures, le sentiment de leurs facultés et l'éclatant de leurs vies : ces austérités, ce zèle, cette prodigalité de tout eux-mêmes pour le prochain. Et comme cela appartient à la loi intérieure du Saint-Esprit, personne ne doit s'y porter et se le prescrire, ni le désirer, ni gémir de ne pas avoir ces grâces qui nous font entreprendre ces sortes de vertus non communes, car elles ne doivent avoir lieu dans ces

114

---

26. Ms : *et dans chaqu'une de son état et condition.*
27. Ms : *trompée.*

circonstances que par l'ordre de Dieu. Sans cela, comme nous l'avons dit, il y aurait à craindre l'illusion où notre esprit aurait part.

Il faut remarquer qu'il y a des âmes que Dieu veut tenir cachées, obscures et petites à leurs yeux et à ceux des autres ; que, bien loin de leur ordonner de telles choses apparentes, son ordre ne porte pour elles que le contraire. Et, si elles sont bien instruites, elles seraient trompées d'aller par cette voie : la leur est la fidélité dans leur marche, et [elles] se trouvent en paix dans leur bassesse. Il n'y a donc de différence dans leurs voies que ce qu'elles en mettraient dans l'amour et soumission à la volonté de Dieu. Car si elles surpassaient ces âmes qui semblent travailler plus qu'elles par les travaux extérieurs, qui ne doute que leur sainteté ne fût plus éminente ? Cela montre que chaque âme doit se contenter des devoirs de son état, des ordres de pure providence : il est clair que Dieu l'exige de toutes les âmes. Pour ce qui est de l'attrait et l'impression vive reçue dans l'âme, il ne faut pas s'y déterminer de soi-même, ni augmenter ce sentiment intérieur. L'effort naturel est directement opposé et contraire à l'infusion. Cela doit venir dans la paix. La voix de l'époux doit réveiller l'épouse, ne devant aller qu'autant que le souffle de l'Esprit Saint l'anime : si elle sort par elle-même, elle ne fera rien du tout. Quand donc elle ne sent point d'attrait et de grâce pour tant de merveilles qui rendent les saints admirables, il faut qu'elle se fasse justice à elle-même et qu'elle dise : « Dieu a voulu cela des saints et ne le veut pas de moi. » Je crois que, si les

116 bonnes âmes étaient instruites de cette conduite qu'elles doivent tenir, elles s'épargneraient bien de la peine. J'en dis de même des personnes du monde et des âmes de providence : si les premières savaient ce qu'elles ont dans les mains à chaque instant à pratiquer, je veux dire leurs devoirs journaliers et les actions de leur état ; si les secondes connaissaient les choses [28] dont elles ne font point de cas et qu'elles regardent même comme inutiles et étrangères à la sainteté, dont elles se forment des idées qui les étonnent et qui, toutes bonnes qu'elles sont, ne laissent pas de leur nuire parce qu'elles les bornent à ce qu'elles s'en figurent d'éclatant et de merveilleux ; si toutes savaient que la sainteté consiste dans toutes les croix de providence de chaque moment que leur état leur fournit, et que ce n'est pas cet état extraordinaire qui est ce qui conduit au plus élevé de la perfection (la pierre philosophale est la soumission à l'ordre de Dieu pour changer en or divin toutes leurs occupations, etc.), qu'ils seraient heureux ! Qu'ils verraient que, pour être saint, il n'y aurait pas plus à faire qu'ils ne font et à souffrir qu'ils ne souffrent ; que ce qu'ils laissent perdre et ne comptent pour rien suffirait pour acheter une sainteté éminente !

117 Que je désirerais être missionnaire de votre sainte volonté et apprendre à tout le monde qu'il n'y a rien de si aisé, de si commun, ni de si présent dans les mains de tout le monde que la sainteté ! que, de même que le bon larron et le mauvais n'avaient pas des choses différentes à

---

28. Ms : *connaissaient que les choses.*

faire et à souffrir pour être saints, ainsi deux âmes, dont l'une est mondaine et l'autre tout intérieure et spirituelle n'ont rien de plus à faire et à souffrir [l'une que l'autre] ; et que celle qui se damne, [se damne] en faisant par fantaisie ce que l'autre, qui se sauve, fait par soumission à votre volonté ; et que celle qui se damne, se damne en souffrant avec regret et avec murmure ce que l'autre [souffre] avec résignation ; ce n'est donc que le cœur qui est différent. Ô chères âmes qui lisez ceci, il ne vous en coûtera pas davantage. Faites ce que vous faites, souffrez ce que vous souffrez, il n'y a que votre cœur seul à changer. Ce qu'on entend par le cœur, c'est la volonté. Ce changement consiste donc à vouloir tout ce qui vous arrive par l'ordre de Dieu. Oui, la sainteté du cœur est un simple tout, une simple disposition de volonté conforme à celle de Dieu. Qu'y a-t-il de plus aisé ? Car qui ne peut aimer une volonté si aimable et si bonne ? 118 Et, par ce seul amour, tout devient divin.

IX

De l'excellence de la volonté de Dieu
et du moment présent

Il n'y a rien de plus raisonnable, de plus parfait, de plus divin que la volonté de Dieu. Sa valeur infinie peut-elle croître par quelques différences des temps, des lieux, des choses ? Si on vous donne le secret de la trouver à tous moments en toutes choses, vous avez donc ce qu'il y a de plus précieux et de plus digne de nos désirs. Que souhaitez-vous, âmes saintes ? Donnez-vous une libre carrière, portez vos vœux au-delà de toute mesure et de toutes bornes, étendez, dilatez votre cœur à l'infini, j'ai de quoi le remplir ! Il n'est point de moment où je ne vous fasse trouver tout ce que vous pouvez désirer.

Ce moment présent est toujours plein de trésors infinis, il contient plus que vous n'avez de capacité. La foi est la mesure, vous y trouverez autant que vous croyez. L'amour est aussi la mesure. Plus votre cœur aime, plus il désire et plus il croit trouver, plus il trouve. La volonté de Dieu se présente à chaque instant comme une

119 mer immense, que votre cœur ne peut épuiser. Il n'en reçoit qu'autant qu'il s'étend par la foi et la confiance et l'amour. Tout le reste du créé ne peut remplir votre cœur qui a plus de capacité que ce qui n'est pas Dieu. Les montagnes qui effraient les yeux ne sont que des atomes dans le cœur. C'est dans cette volonté, cachée et voilée dans tout ce qui vous arrive au moment présent, qu'il faut puiser, et vous la trouverez toujours infiniment plus étendue que vos désirs. Ne faites la cour à personne, n'adorez point l'ombre et le fantôme, ils ne peuvent ni vous donner ni vous ôter. La seule volonté de Dieu fera votre plénitude, qui ne vous laissera aucun vide. Adorez-la, allez droit à elle, pénétrant et abandonnant toutes les apparences. La mort des sens, leur nudité, leur soustraction ou destruction sont le règne de la foi. Les sens adorent les créatures, la foi adore la volonté divine. Ôtez les idoles aux sens, ils pleurent comme des enfants désespérés [1] ; mais la foi triomphe, car on ne peut lui enlever la volonté de Dieu. Quand le moment effraie, affame, dépouille, accable tous les sens, alors il nourrit, il enrichit, il vivifie la foi, qui se rit des pertes comme un gouverneur

120 dans une place imprenable se rit de remparts inutiles.

Quand la volonté de Dieu s'est révélée à une âme et lui a fait sentir qu'elle se donne à elle, aussi de son côté elle éprouve en toutes rencontres un secours puissant. Pour lors elle goûte par expérience le bonheur de cette venue

---

1. Ms : *désespérées*.

de Dieu dont elle ne jouit que parce qu'elle a compris dans la pratique l'abandon où elle doit être à tous les moments de cette volonté tout adorable. Pensez-vous qu'elle juge des choses comme ceux qui les mesurent par les temps et qui ignorent le trésor inestimable qu'elles renferment[2] ? Celui qui sait que cette personne déguisée est le roi en use bien autrement à son arrivée que celui qui, voyant une figure d'un homme du commun, traite cette personne selon l'apparence. De même l'âme qui voit la volonté de Dieu dans les plus petites choses, dans les plus désolantes et les plus mortelles et qui en vit[3], reçoit tout avec une joie, une jubilation, un respect égal. Et ce que les autres craignent et fuient, elle ouvre toutes ses portes pour le recevoir avec honneur. L'équipage est petit, les sens le méprisent, mais le cœur, sous cette apparence vile, respecte également la majesté royale ; et plus elle s'abaisse pour venir à ce petit train et en secret, plus le cœur est pénétré d'amour. Je ne puis rendre ce que le cœur sent quand il reçoit la divine volonté si rapetissée, si pauvre, si anéantie. Ah ! que cette pauvreté d'un Dieu, cet anéantissement jusqu'à loger dans une crèche, reposer sur un peu de paille, pleurant, tremblant, pénètre le beau cœur de Marie ! Interrogez les habitants de Bethléem, ce qu'ils pensent. Si cet enfant était dans un palais avec l'appareil des

121

---

2. Ms : *qu'elle renferme*. L'action de Dieu ne se laisse pas assigner de « temps », de « moments » prévisibles ou consacrés.

3. Ms : *rit*.

princes, ils lui feraient la cour. Mais demandez à Marie, à Joseph, aux mages, aux pasteurs : ils vous diront qu'ils trouvent dans cette pauvreté extrême un je ne sais quoi qui leur rend Dieu plus grand et plus aimable. Ce qui manque aux sens rehausse, accroît et enrichit la foi. Moins il y a pour ceux-là, plus il y a pour l'âme.

Adorer Jésus sur le Thabor[4], aimer la volonté de Dieu dans les choses extraordinaires, cela n'est pas si fort une vie excellente de foi que d'aimer la volonté de Dieu dans les choses communes et d'adorer Jésus sur la croix. Car la foi n'est excellemment vivante que lorsque l'apparent et le sensible la[5] contredisent et font effort pour la détruire. Cette guerre des sens rend la foi plus glorieusement victorieuse. Trouver également Dieu dans les plus petites choses et les communes comme dans les grandes, c'est avoir une foi non commune, mais grande et extraordinaire. Se contenter du moment présent, c'est [se contenter] de goûter et d'adorer la volonté divine dans tout ce qui se rencontre à souffrir et à faire, ce qui compose par leurs successions le moment présent. Ces âmes simples, par la vivacité de leur foi, adorent Dieu également dans tous les états les plus humiliants, rien ne le dérobe au perçant de leur foi. Plus les sens disent : « Ce n'est point là un Dieu », plus ces âmes embrassent et serrent le

---

4. Allusion à la transfiguration du Christ (cf. *Matthieu* 17, 1).

5. Ms : *le*.

bouquet de myrrhe[6]. Rien ne les étonne, ne les dégoûte. Marie verra fuir les Apôtres, elle demeurera constamment au pied de la croix et reconnaîtra son Fils, quelque défiguré qu'il soit par les crachats et les plaies. Au contraire, elles le rendent plus adorable, plus aimable aux yeux de cette tendre mère. Et plus on vomira contre lui de blasphèmes, plus sa vénération sera grande. La vie de la foi n'est qu'une poursuite continuelle de Dieu au travers de ce qui le déguise, le défigure, le détruit, pour ainsi dire, et l'anéantit.

Voici encore Marie depuis l'étable jusqu'au calvaire : elle trouve toujours un Dieu que tout le monde méconnaît, abandonne et persécute. De même, les âmes de foi outrepassent une suite continuelle de morts, de voiles, d'ombres et d'apparences qui font effort pour rendre la volonté de Dieu méconnaissable, [elles] la poursuivent et l'aiment jusqu'à la mort de la croix. Elles savent qu'il faut toujours laisser les ombres pour courir après ce divin soleil qui, depuis son lever jusqu'à son coucher, quelques nuées sombres et épaisses qui le cachent, éclaire, réchauffe, embrase les cœurs fidèles qui le bénissent, le louent, le contemplent dans tous les points de ce cercle mystérieux[7]. Courez donc, âmes fidèles, contentes et infatigables, après ce cher époux qui marche à pas de géant et va d'un bout du ciel à l'autre ! Rien ne peut se dérober à ses yeux. Il marche au-dessus des plus petits

123

---

6. Ms : *mirthe*. Cf. *Cantique* 1, 13.
7. Cf. *Psaume* 18, 6-7.

brins d'herbe comme au-dessus des cèdres. Les grains de sable se trouvent sous ses pieds comme les montagnes. Partout où vous pouvez mettre le pied, il y a passé. Et il n'y a qu'à le poursuivre incessamment pour le trouver partout où vous serez.

La parole de Dieu écrite est pleine de mystère, sa parole exécutée dans les événements du monde ne l'est pas moins. Ces deux livres sont vraiment scellés. La lettre de tous les deux tue. Dieu est le centre de la foi. C'est un abîme de ténèbres qui, de ce fonds, se répand sur toutes les productions qui en sortent. Toutes ses paroles, toutes ses œuvres ne sont pour ainsi dire que des rayons obscurs de ce soleil encore plus obscur. Nous ouvrons les yeux du corps pour voir le soleil et ses rayons, mais les yeux de notre âme, par lesquels nous voyons Dieu et ses ouvrages, sont des yeux fermés. Les ténèbres tiennent ici la place de la lumière, la connaissance est une ignorance, et on voit en ne voyant pas. L'Écriture Sainte est une parole obscure d'un Dieu encore plus obscur. Les événements du siècle sont des paroles obscures de ce même Dieu si caché et si inconnu. Ce sont des gouttes de la nuit[8], mais d'une mer de nuit et de ténèbres. Toutes les gouttes, tous les ruisseaux tiennent de leur origine. La chute des anges, celle d'Adam, l'impiété et l'idolâtrie des hommes, devant et après le déluge, du vivant des Patriarches qui savaient et racontaient à leurs enfants l'histoire

124

---

8. Cf. *Cantique* 5, 2 : « Ma tête est couverte de rosée, mes boucles, des gouttes de la nuit. »

de la création et de la conservation encore toute récente : voilà des paroles bien obscures de l'Écriture Sainte ! Une poignée de monde préservée de l'idolâtrie dans la perte générale de tout le monde jusqu'à la venue du Messie, l'impiété toujours régnante, toujours puissante, ce petit nombre de défenseurs de la vérité toujours persécutés et maltraités, les traitements faits à Jésus-Christ, les plaies de l'Apocalypse... Quoi donc ? ce sont là des paroles de Dieu ? C'est ce qu'il a révélé, ce qu'il a dicté. Et les effets de ces terribles mystères qui continuent jusqu'à la fin des siècles, sont encore la parole vivante que nous enseignent sa sagesse, sa puissance, sa bonté. Tous les attributs divins l'expriment par tout ce qui arrive au monde, tous le[9] prêchent. Hélas ! il faut le croire, cela ne se voit point. Que veut dire Dieu par les Turcs, les Hollandais, les protestants ? Tout cela prêche avec éclat, tout cela signifie les perfections infinies. Pharaon et tous les impies qui l'ont suivi et le suivront ne sont que pour cela. Mais assurément, si l'on ouvre les yeux, la lettre dit le contraire. Il faut s'aveugler et cesser de raisonner pour y voir des mystères divins.

Vous parlez, Seigneur, à tous les hommes en général, par les événements généraux. Toutes les révolutions ne sont que des flots de votre providence qui excitent des orages et des tempêtes dans le raisonnement des gens curieux. Vous parlez en particulier à tous les hommes par ce qui leur arrive de moment en moment. Mais, au

125

9. Ms : *les.*

126   lieu d'entendre en tout cela la voix de Dieu, de respecter l'obscurité et le mystérieux de sa parole, on [n']y regarde que la matière, le hasard, l'humeur des hommes. On trouve à redire à tout, on veut ajouter, dominer, réformer, et on se donne une liberté entière de commettre des excès dont le moindre serait un attentat s'il s'agissait d'une seule virgule des Saintes Écritures : « C'est la Parole de Dieu, dit-on, tout est saint, véritable. » Si on n'y comprend rien, on [n']en a que plus de vénération, on rend gloire et justice aux profondeurs de la sagesse de Dieu. Cela est bien juste. Mais ce que Dieu vous dit, chères âmes, ses paroles qu'il prononce de moment en moment, qui ont pour corps non de l'encre et du papier, mais ce que vous souffrez, ce que vous avez à faire de moment à autre, ne méritent-elles [10] rien de votre part ? Pourquoi ne respectez-vous pas en tout cela les vérités et la bonté de Dieu ? Il n'y a rien qui ne vous déplaise, vous censurez tout ? Ne voyez-vous pas que vous mesurez par les sens et la raison ce qui ne peut se mesurer que par la foi ? et que vous avez grand tort de lire avec les yeux de la foi la parole de Dieu dans les Écritures, en la lisant avec d'autres yeux dans ses opérations ?

127   Il faut de la foi pour tout ce qui est divin. Si nous vivions sans interruption de la vie de la foi, nous serions dans un commerce continuel avec Dieu, nous lui parlerions bouche à bouche. Ce que l'air est à nos pensées et à nos paroles pour les transmettre, tout ce qui nous arrive à faire et

---

10. Ms : *mérite-t-elle.*

à souffrir le serait à celles de Dieu. Ce ne serait que le corps de sa parole, en tout elle le produirait au-dehors, tout nous serait saint, tout nous serait excellent. La gloire établit cet état dans le ciel, la foi l'établirait sur la terre, il n'y aurait de différence que dans la manière.

Nous ne sommes proprement bien instruits que par les paroles que Dieu prononce exprès pour nous. Ce n'est pas par les livres, ni par la curieuse recherche des histoires que l'on devient savant dans la science de Dieu : cela n'est qu'une science vaine et confuse qui enfle beaucoup. Ce qui nous instruit, c'est ce qui nous arrive de moment à autre[11], qui forme en nous cette science expérimentale que Jésus-Christ a voulu avoir avant que d'enseigner quant à l'extérieur, puisqu'étant Dieu, par la prescience il connaît tout. Mais, pour nous, elle nous est absolument nécessaire si nous voulons parler au cœur des personnes que Dieu nous adressera. L'on ne sait parfaitement que ce que l'expérience nous a appris par la souffrance et par l'action. C'est là l'aile du Saint-Esprit qui parle au cœur des paroles de vie, et tout ce qu'on dit à d'autres doit sortir de cette source. Ce qu'on lit, ce que l'on voit ne devient science divine que par cette fécondité, cette vertu et cette lumière que lui donne l'acquis. Tout cela n'est qu'une pâte, le levain y est nécessaire, le sel doit l'assaisonner et, lorsqu'il n'y a que des idées vagues sans ce sel, l'on est comme des visionnaires qui savent les chemins de toutes les villes et s'égarent en

128

---

11. À chaque moment.

allant à leur maison. Il faut donc écouter Dieu de moment à moment pour être docte dans la théologie vertueuse qui est toute pratique et expérimentale.

Laissez là ce qui est dit aux autres, n'écoutez que ce qui vous est dit pour vous et à vous. Il y en a assez pour exercer votre foi, car tout l'exerce, la purifie, l'accroît par son obscurité. La foi est l'interprète de Dieu dans les éclaircissements qu'elle donne. On ne pense pas même que Dieu parle, on n'entend que le langage confus des créatures qui ne signifie que misères et que mort. Mais la foi enseigne premièrement que c'est le suc de la Sagesse qui pénètre les épines. Elle développe ensuite ses chiffres, et on ne voit que grâces et perfections divines dans ce galimatias et ce jargon des créatures. La foi donne une face céleste à toute la terre. C'est par elle que le cœur est transporté, ravi pour converser dans le ciel. Tous les moments sont des révélations que Dieu lui fait. Tout ce que nous voyons d'extraordinaire dans les saints, visions, paroles intérieures, ce n'est qu'un crayon de l'excellence de leur état continuel et caché dans l'exercice de la foi. Car cette foi ressent ces transports, puisque la vie, c'est de posséder tout cela dans tout ce qu'il arrive de moment en moment. Lorsque cela éclate visiblement, ce n'est pas que la foi ne l'ait déjà, mais c'est pour en faire voir l'excellence et attirer les âmes à la pratique, comme la gloire du Thabor et les miracles de Jésus-Christ n'étaient pas des surcroîts de son excellence : c'étaient des éclairs qui sortaient de temps en temps de cette nuée

129

obscure de l'humanité pour la rendre aimable aux autres.

Le merveilleux des saints, c'est leur vie de foi continuelle en toutes choses. Tout le reste, sans elle, ne serait que diminution de sainteté. Leur sainteté, dans la foi amoureuse qui les fait jouir de Dieu en toutes choses, n'a pas besoin de cet extraordinaire. S'il devient utile, c'est pour les autres, qui peuvent avoir besoin de ce témoignage et de ces signes. Pour l'âme de foi, contente de son obscurité, elle ne s'y appuie point. Elle les laisse saillir pour que le prochain en profite, et ne prend pour elle que ce qu'elle trouve de plus commun : ordre de Dieu, bon plaisir de Dieu, qui exercent sa foi en se cachant et non en se manifestant. La foi ne veut point d'épreuves [12] et ceux qui ont besoin d'épreuves ont moins de foi. Ceux qui vivent de foi reçoivent l'épreuve non comme épreuve, mais comme ordre de Dieu. Et, en ce sens, les choses extraordinaires ne contredisent point l'état de pure foi. Mais il se trouve, en beaucoup de saints que Dieu élève pour le salut des âmes, des raisons qui éclairent les plus faibles. C'est ainsi qu'étaient les prophètes et les Apôtres et que tous les saints ont été et seront quand Dieu les choisit pour les mettre sur le chandelier. Or il y en aura toujours, comme il y en a toujours eu. Il y en a une infinité dans l'Église qui sont cachés et qui, n'étant faits que pour briller dans le ciel, ne répandent dans cette vie aucune lumière, mais

130

---

12. Au sens de « preuve » qu'avait alors le mot. De même dans les lignes suivantes.

131 vivent et meurent dans une profonde obscurité. Il n'y a que la source qui puisse désaltérer, les ruisseaux irritent la soif. Si vous voulez penser, écrire et vivre comme les prophètes, les Apôtres, les saints, abandonnez-vous comme eux à l'opération divine.

Ô amour inconnu ! il semblerait que vos merveilles soient finies et qu'il n'y ait plus qu'à copier vos anciens ouvrages, à citer vos discours passés. Et l'on ne voit pas que votre action inépuisable est une source infinie de nouvelles pensées, de nouvelles souffrances, de nouvelles actions, de nouveaux patriarches, de nouveaux prophètes, de nouveaux Apôtres, de nouveaux saints qui n'ont pas besoin de copier la vie ni les écrits les uns des autres, mais de vivre dans un perpétuel abandon à vos secrètes opérations. Sans cesse nous entendons dire : « Les premiers siècles ! Le temps des saints ! » Quelle façon de parler ! Tous les temps ne sont-ils pas la succession des effets de l'opération divine qui s'écoule sur tous les instants, les remplit, les sanctifie, les surnaturalise tous ? Y a-t-il jamais une ancienne manière de s'abandonner à cette opération qui ne soit pas de saison ? Les saints des premiers temps ont-ils eu d'autres secrets que celui de 132 devenir de moment en moment ce que cette action divine en voulait faire ? Et cette action cessera-t-elle jusqu'à la fin du monde de répandre sa grâce sur les âmes qui s'abandonneront à elle sans réserve ?

Oui, cher amour ! adorable, éternel et éternellement fécond et toujours merveilleux ! Action de mon Dieu, vous êtes mon livre, ma doctrine, ma science ! En vous sont mes pensées, mes paroles, mes actions, mes croix. Ce n'est pas en consultant vos autres ouvrages que je deviendrai ce que vous voudrez faire de moi, c'est en vous recevant en toutes choses par cette unique voie royale, voie ancienne, voie de mes pères. Je penserai, je serai éclairé, je parlerai comme eux. C'est en cela que je veux tous les imiter, tous citer, tous copier. Ce n'est faute que de savoir faire tout l'usage que l'on peut de l'action divine qu'on a recours à tant de moyens. Cette multiplicité ne peut donner ce qu'on trouve dans l'unité d'origine, dans laquelle chaque instrument trouve un mouvement original qui le fait agir incomparablement. Jésus nous a envoyé un maître que nous [n']écoutons pas assez. Il parle à tous les cœurs et il dit à chacun la parole de vie, la parole unique. Mais on ne l'entend pas ! L'on voudrait savoir ce qu'il a dit aux autres, et on n'écoute pas ce qu'il dit à nous-mêmes ! Nous ne regardons pas assez les choses dans l'être surnaturel que l'action divine leur donne. Il faut toujours le recevoir et agir selon son mérite à cœur ouvert, d'un air plein de confiance et de générosité, car il ne peut faire de mal à ceux qui le reçoivent ainsi.

133

L'immense action qui, dans le commencement des siècles et jusqu'à la fin, est toujours la même en soi, s'écoule sur tous les moments, et elle se donne dans son immensité et identité à l'âme simple qui l'adore, l'aime et en jouit uniquement. Vous seriez ravie, dites-vous, de trouver une occasion de mourir pour Dieu. Une action de cette force, une vie de cette manière vous seraient agréables : tout perdre, mourir délaissée, se sacrifier pour les autres, ces idées vous charment. Et moi, Seigneur, je rends gloire et toute gloire à votre action. Je trouve en elle tout le bonheur du martyre, des austérités, des services rendus au prochain. Cette action me suffit et, de quelque manière qu'elle me fasse vivre et mourir, je suis content. Elle me plaît par elle-même au-delà de toutes [les] qualités de ses instruments, de ses effets, puisqu'elle s'étend sur tout, qu'elle divinise tout, qu'elle change tout en soi. Tout m'est ciel, tous mes moments me sont l'action divine toute pure. Et, en vivant et en mourant, je veux être content d'elle.

« Oui, chères âmes, je ne vous marquerai plus les heures et les manières. Vous serez toujours les bienvenues. » Il me semble, action divine, que vous m'avez dévoilé votre immensité, je ne fais plus de démarches que dans votre soin infini. Tout ce qui coule aujourd'hui de vous, coula hier. Votre fonds est le lit de torrent de grâces qui se répand incessamment : vous les soutenez, vous les agitez. Ce n'est donc plus dans les bornes étroites d'un livre, d'une vie de saints ou d'une idée sublime que je dois vous chercher. Ce ne sont là que des gouttes de cette mer que je vois répandue sur toutes les créatures. L'action divine les inonde toutes. Ce sont des atomes qui disparaissent dans cet abîme. Je ne chercherai plus cette action dans les pensées des personnes spirituelles, je n'irai plus demander mon pain de porte en porte, je ne leur ferai plus la cour.

Oui, Seigneur, je veux vivre d'un air à vous

faire honneur, en enfant d'un vrai père infiniment sage, bon et puissant. Je veux vivre comme je crois. Et, puisque cette action divine s'applique par toutes choses, à tout moment, à ma perfection, je veux vivre de ce grand et immense revenu, revenu immanquable, toujours présent et de la façon la plus propre. Y a-t-il créatures dont l'action puisse égaler celle de Dieu ? Et, puisque cette main incréée manie elle-même tout ce qui m'arrive, irai-je chercher des secours dans les créatures qui sont impuissantes, ignorantes et sans affection ? Je mourrais de soif, je courrais de fontaines en fontaines, de ruisseaux en ruisseaux, et voilà une main qui a fait un déluge ! L'eau m'environne de toutes parts, tout devient pain pour me nourrir, savon pour me blanchir, feu pour me purifier, ciseau pour me donner des figures célestes, tout est instrument de grâce pour toutes mes nécessités. Ce que je chercherais dans tout autre chose, cela me cherche incessamment et se donne à moi par toutes les créatures.

Ô amour, faut-il que cela soit ignoré et que vous vous jetiez pour ainsi dire à la tête de tout le monde avec toutes vos faveurs, et qu'on vous recherche dans les coins et recoins où l'on ne vous trouve pas ? Quelle folie de ne point respirer dans l'air, de chercher où [13] mettre les pieds en pleine campagne, de ne pas trouver d'eau dans le déluge, de ne pas trouver Dieu, de ne pas le goûter, de ne pas recevoir son onction en toutes choses ! Vous cherchez des secrets

136

---

13. Ms : *à*.

d'être à Dieu, chères âmes ? Il n'y en a point, sinon celui de se servir de tout ce qui se présente. Tout mène à cette union, tout perfectionne, excepté ce qui est péché et hors du devoir. Il n'y a qu'à recevoir tout et laisser faire. Tout vous dirige, vous redresse et vous porte. Tout est bannière, litière et voiture commode. Tout est main de Dieu, tout est terre, air, eau divine. Son action est plus étendue, plus présente que les éléments. Il entre en vous par tous vos sens, supposé que l'on [n'en] use que par l'ordre de Dieu, car il faut les fermer et résister à ce tout qui n'est point de sa volonté. Il n'y a point d'atomes qui en vous [ne] pénètrent et ne la fassent pénétrer, cette action divine, jusqu'à la moelle de vos os. Toutes [14] ces liqueurs sublimes qui coulent dans vos veines, ne coulent que par le mouvement qu'elle leur donne. Toute la diffé-

137 rence que cela fait dans vos mouvements, la force ou la faiblesse, la langueur ou la vivacité, la vie ou la mort, ce sont les instruments divins qui [l'] opèrent. Tous les états corporels sont des opérations de grâce. Tous vos sentiments, vos pensées, de quelque part que cela vienne, tout cela part de cette main invisible. Il n'y a ni cœur ni esprit créé qui puisse vous apprendre ce que cette action fera en vous : vous l'apprendrez par l'expérience successive. Votre vie coule sans cesse dans cet abîme inconnu où il n'y a qu'à toujours aimer pour le meilleur ce qui est présent, par une parfaite confiance en cette

---

14. Ms : *Tout est.*

action qui ne peut faire par soi-même que du bien.

Oui, cher amour, toutes les âmes porteraient des états surnaturels, sublimes, admirables, inconcevables, si toutes se contentaient de vos actions. Oui, si l'on savait laisser faire cette divine main, on arriverait à la perfection la plus éminente. Toutes y arriveraient, étant offerte à tous : il n'y a qu'à ouvrir la bouche et elle entrera comme d'elle-même [15], puisqu'il n'y a point d'âme qui n'ait un caractère singulier d'une sainteté merveilleuse ; de façon que toutes vivraient, agiraient, parleraient miraculeuse-ment. Elles n'auraient que faire de se copier les unes les autres, l'action divine les singulariserait toutes par les choses les plus communes.

Par quel moyen, ô mon Dieu, pourrais-je faire goûter ce que j'avance à vos créatures ? Faut-il que j'aie un si grand trésor et que, pouvant enri-chir tout le monde, je voie les âmes sécher comme les plantes des déserts ? Venez, âmes simples, qui n'avez aucune teinture de dévotion, qui n'avez aucun talent, pas même les premiers éléments d'instruction, ni méthode, et n'entendez rien aux termes spirituels, qui êtes étonnées et admirez l'éloquence des savants, venez ! Je vous apprendrai un secret pour surpasser tous ces habiles esprits, et je vous mettrai si au large pour la perfection que vous la trouverez toujours sous vos pieds, sur votre tête et autour de vous. Je vous unirai à Dieu et je vous ferai tenir par la main dès le premier

138

---

15. Cf. *Psaume* 81, 11 : « Ouvre ta bouche et je l'emplirai. »

moment que vous pratiquerez ce que je vous dirai. Venez ! non pour savoir la carte du pays de la spiritualité, mais pour la posséder et vous promener à l'aise sans crainte de vous égarer. Venez à nous ! non pour savoir l'histoire de l'action divine, mais pour en être les objets ; non pour apprendre ce qu'elle a fait dans tous les siècles et ce qu'elle fait encore, mais pour être les simples sujets de son opération. Vous n'avez pas besoin de savoir les paroles qu'elle a fait[es] aux autres pour les réciter ingénieusement, elle vous en donnera qui vous seront propres.

C'est là l'Esprit universel qui s'écoule dans tous les cœurs pour leur donner une vie toute particulière. Il parle dans Isaïe, Jérémie, Ézéchiel, dans les Apôtres. Et tous, sans étudier les écrits des uns des autres, servent[16] d'organes à cet Esprit pour donner au monde des ouvrages toujours nouveaux. Et si les âmes savaient s'unir à cette action, leur vie ne serait qu'une suite des divines Écritures qui, jusqu'à la fin du monde, la continuent, non avec de l'encre et le papier, mais sur les cœurs[17]. Et [c'est] de tout cela qu'est rempli ce livre de vie qui ne sera pas, comme l'Écriture Sainte, l'histoire de l'action divine de quelques siècles : depuis la création du monde jusqu'au jugement, toutes les actions, pensées, paroles, souffrances des âmes saintes seront

---

16. Ms : *servant.*

17. Cf. *2 Corinthiens* 3, 3 : « Vous êtes manifestement une lettre du Christ remise à nos soins, écrite non avec de l'encre, mais avec l'Esprit du Dieu vivant ; non sur des tables de pierre, mais sur des tables de chair, sur les cœurs. »

écrites, et l'Écriture sera alors une histoire complète de l'action divine.

La suite du Nouveau Testament s'écrit donc présentement par des actions et des souffrances. Les âmes saintes ont succédé aux prophètes et aux Apôtres, non pour écrire des livres canoniques, mais pour continuer l'histoire de l'action divine par leur vie dont les moments sont autant de syllabes et de phrases par lesquelles cette action s'exprime d'une manière vivante. Les livres que le Saint-Esprit dicte présentement sont des livres vivants, chaque âme sainte est un volume, et cet écrivain céleste est une véritable révélation de l'opération intérieure s'expliquant dans tous les cœurs et se développant dans tous les moments.

L'action divine exécute dans la suite des temps les idées [18] que la Sagesse a formées de toutes choses. Tout a en Dieu ses propres idées, cette seule Sagesse les connaît. Quand vous connaîtriez toutes celles qui ne sont pas pour vous, cette connaissance ne pourrait vous diriger en rien. L'action divine voit dans le Verbe l'idée sur laquelle vous devez être formée, c'est l'exemplaire qui lui est proposé. Elle [19] voit dans le Verbe tout ce qui est convenable pour toutes les âmes saintes. L'Écriture Sainte en comprend une partie, et les ouvrages que l'Esprit Saint forme dans l'intérieur achèvent le reste sur les exemplaires que le Verbe lui propose. Ne voit-on

18. Au sens néo-platonicien du mot, adopté par la tradition mystique.
19. Ms : *Il.*

pas que l'unique secret de recevoir le caractère de cette idée éternelle est d'être un sujet souple en ses mains ? que les effets, les spéculations de l'esprit ne peuvent rien faire de [20] cela ? que cet ouvrage ne se fait point par voie d'adresse, d'intelligence, de subtilité d'esprit, mais par voie passive d'abandon, à recevoir, à se prêter, comme le métal dans un moule, comme une toile sous le pinceau ou une pierre sous la main du sculpteur ? Ne voit-on pas que la connaissance de tous ces mystères divins que la volonté de Dieu opère et opérera dans tous les siècles, n'est point ce qui fait que cette même volonté nous rend conforme à l'image que le Verbe a conçue de nous ? que c'est le cachet ou l'impression de ce cachet mystérieux [21] ? et que cette impression ne se fait pas dans l'esprit par des idées, mais dans les facultés par abandon ?

La sagesse de l'âme simple consiste à se contenter de ce qui lui est propre, à se renfermer dans les termes de son sentier, à ne point outre-passer sa ligne. Elle n'est point curieuse de savoir les façons d'agir de Dieu. Elle se contente de l'ordre de sa volonté sur elle, ne faisant point d'efforts pour la deviner par comparaison, par conjectures, n'en voulant savoir que ce que chaque moment lui révèle. [Elle] écoute la Parole du Verbe [qui] se fait entendre au fond de son cœur, ne s'informant point à l'époux [de] ce qu'il lui a dit ainsi qu'aux autres, se contentant

142

---

20. Ms : *que.*

21. Le « sceau » de l'Esprit Saint que l'âme abandonnée laisse s'imprimer en elle (cf. *Éphésiens* 1, 13).

de ce qu'elle reçoit au fond de son âme, de façon que, de moment à autre, quelque peu et de quelque nature que ce soit, tout la divinise à son insu. Voilà de quelle manière l'époux parle à son épouse par les effets très réels de son action que l'épouse n'aperçoit point, ne voyant que le naturel de ce qu'elle souffre, de ce qu'elle fait. Ainsi la spiritualité de l'âme est sainte, toute substantielle et intimement répandue dans tout son être. Ce n'est point ce qui la détermine que ces idées et paroles tumultueuses qui, étant seules, ne servent qu'à enfler. On fait un grand usage de l'esprit pour la piété. Cependant il est peu nécessaire, il est même contraire. Il ne faut faire usage que de ce que Dieu donne à souffrir 143 et à faire. Et on laisse cette substance divine pour occuper l'esprit des merveilles historiques de l'ouvrage divin, au lieu de les croire par sa fidélité !

Les merveilles de cet ouvrage, qui satisfait la curiosité dans nos lectures, ne servent qu'à nous dégoûter de ces petites choses, en apparence, par lesquelles elle en ferait[22] en nous de grandes, si nous ne les méprisions pas. Insensés[23] que nous sommes ! Nous admirons, nous bénissons cette action divine dans les écrits qui vantent son histoire et, lors même qu'elle veut la continuer en écrivant sur nos cœurs non avec l'encre, nous tenons le papier dans une inquiétude continuelle et nous l'empêchons d'agir par la curiosité de voir ce qu'il fait en nous et ce qu'il fait ailleurs.

---

22. Ms : *elles en feraient*. Le sujet est « l'action divine ».
23. Ms : *Insensées.*

Pardon, divin amour, car je n'écris ici que mes défauts et je n'ai pas encore conçu ce que c'est que de vous laisser faire. Je ne me suis point encore laissé jeter en moule. J'ai parcouru tous vos ateliers, j'ai admiré toutes vos figures, mais je n'ai point encore eu l'abandon nécessaire pour recevoir les traits nécessaires de votre pinceau. Enfin je vous ai trouvé, mon cher maître, mon docteur, mon Père, mon cher amour ! Je serai votre disciple, je ne veux plus aller qu'à votre école. Je reviens, comme l'enfant prodigue, affamé[24] de votre pain. Je laisse les idées et les spirituels, j'abandonne tout commerce, n'usant plus de tout cela[25] que par action divine, non pour me satisfaire, mais pour vous obéir en[26] toutes choses qui se présenteront. Je veux me conformer dans l'unique affaire du moment présent pour vous aimer, pour m'acquitter de mes obligations et vous laisser faire.

Quand une âme a trouvé la motion divine, elle quitte toutes les œuvres, les pratiques, les méthodes, les moyens, les livres, les idées, les personnes spirituelles afin d'être solitaire sous la seule conduite de Dieu et de cette motion, qui devient l'unique principe de sa perfection. Elle est en sa main comme tous les saints y ont toujours été. Elle sait que cette action divine connaît seule la voie qui y est propre, et que, si l'âme cherchait des moyens créés, elle ne pourrait que s'égarer en ce terrain de l'inconnu

---

24. Ms : *affamée.*
25. Ms : *n'usant plus que de tout cela.*
26. Ms : *obéir comme en.*

que Dieu opère dans elle. C'est donc l'action   145
inconnue qui dirige et conduit les âmes par des
routes qu'elle seule connaît. Il en est de ces âmes
comme des dispositions de l'air : on ne le[s]
connaît que par le moment présent. Ce qui doit
suivre a ses causes dans la volonté de Dieu, et
cette volonté ne s'explique que par les effets. Ce
qu'elle fait en ces âmes et leur fait faire, soit
par instincts secrets non suspects, soit par le
devoir de l'état où elles sont, est [27] tout ce
qu'elles connaissent de spiritualité. Ce sont là
leurs visions et révélations, c'est toute leur
sagesse, leur conseil, et cela est tel que jamais
rien ne leur manque. La foi les assure de la bonté
de ce qu'elles font. Si elles lisent, si elles
parlent, si elles écrivent, si elles consultent, ce
n'est que pour chercher des moyens distingués
de [28] l'action divine. Tout cela est de son ordre
et elles le reçoivent comme tout le reste, prenant
sous cette motion divine, et ne prenant pas, les
choses, usant de l'être et du non-être. Toujours
appuyées par la foi sur cette infaillible, égale,
immuable et toujours efficace action en chaque
moment, elles la voient, elles en jouissent en tout   146
sous les plus petits objets comme sous les plus
grands. Chaque moment la leur donne tout
entière. Ainsi elles usent des choses, non par
confiance en elles, mais par soumission aux
choses divines et à cette opération intérieure
qu'elles croient trouver aussi parfaitement sous
les apparences contraires. Leur vie se passe

---

27. Ms : *en.*
28. Au sens de « par ».

donc, non en recherches, en désirs, en dégoûts, en soupirs, mais dans une continuelle assurance d'avoir toujours le plus parfait.

Tous les états que le corps et l'âme portent, ce qui leur arrive au-dehors et au-dedans, ce que chaque moment leur révèle, c'est pour elles la plénitude de cette action, c'est leur félicité. Le plus ou le moins n'est que misère et disette, car ce que cette action fait est le vrai et la juste mesure. Ainsi, si elle ôte les pensées, les paroles, les livres, la nourriture, les personnes, la santé, la vie même, c'est la même chose que si elle donnait le contraire. L'âme l'aime et la croit aussi sanctifiante. Elle ne raisonne point sur sa conduite. Il suffit que les choses soient pour être approuvées par elle [29], il suffit qu'elles ne soient pas [pour être] inutiles.

147 Le moment présent est toujours comme un ambassadeur qui déclare l'ordre de Dieu, le cœur prononce toujours le fiat. L'âme s'écoule ainsi par toutes ces choses dans son centre et son terme. Elle ne s'arrête jamais, elle va à tous vents. Toutes les routes et les manières l'avancent également vers le large et l'infini. Tout lui est moyens, tout est instrument de sainteté sans aucune différence que de trouver toujours ce qui est présent pour l'unique nécessaire. Ce n'est plus oraison ou silence, retraite ou conversations, lire ou écrire, réflexions ou cessations de pensées, fuite ou recherche des spirituels, abondance ou disette, langueur ou santé, vie ou mort, c'est tout ce que chaque moment produit de

---

29. Ms : *elles.*

l'ordre de Dieu. C'est là le dépouillement, le renoncement, la renonciation du créé, non réel mais effectif, pour n'être rien par soi et pour soi, pour être en tout dans l'ordre de Dieu et pour lui plaire, faisant son unique contentement de porter le moment présent comme s'il n'y avait au monde autre chose à attendre.

Si tout ce qui arrive à l'âme abandonnée est l'unique nécessaire, on voit bien que rien ne lui 148 manque et qu'elle ne doit jamais se plaindre. Que si elle le fait, elle manque de foi et vit par la raison ou [30] les sens, qui ne voient jamais cette suffisance de la grâce [et] ne sont pas contents. Sanctifier le nom de Dieu, c'est, selon l'expression de l'Écriture, reconnaître sa sainteté, l'adorer, l'aimer en toutes choses, qui procèdent de la bouche de Dieu comme des paroles. Ce que Dieu fait à chaque moment est une parole qui signifie une chose. Ainsi dans toutes [celles] où il intime sa volonté, sont autant de noms et autant de paroles où il nous montre son désir. Cette volonté n'est qu'une en elle-même, elle n'a qu'un nom inconnu et ineffable, mais elle est multipliée à l'infini dans ses effets qui sont tous autant de noms qu'elle prend. Sanctifier le nom de Dieu, c'est connaître, c'est aimer, c'est adorer ce nom ineffable qui est son essence ; c'est aussi connaître, adorer et aimer son adorable volonté à tous les moments, dans tous ses effets, regardant tout cela comme autant de voiles, d'ombres, de noms de cette volonté éternellement sainte. Elle est sainte dans toutes ses œuvres, sainte dans 149

---

30. Ms : *où*.

toutes ses paroles, sainte dans toutes les façons de paraître, sainte dans tous les noms qu'elle porte. C'est ainsi que Job bénissait le nom de Dieu. Cette désolation universelle qui lui signifiait sa volonté fut bénie par ce saint homme. Il la nommait non une ruine, mais un nom de Dieu et, en la bénissant, il protestait que cette divine volonté, signifiée par les apparences les plus terribles, était sainte, quelque forme, quelque nom qu'elle prît, aussi bien que David la bénissait en tous temps et à chaque moment[31]. C'est donc par cette continuelle découverte, par cette manifestation, cette révélation de la divine volonté de Dieu en toutes choses que son règne est en nous, qu'il fait en terre ce qu'il fait au ciel, qu'il nous nourrit incessamment. Elle comprend et contient toute la substance de cette incomparable oraison dictée par Jésus-Christ. On la récite plusieurs fois le jour vocalement, selon l'ordre de Dieu et de la sainte Église. Mais on la prononce à tous moments dans le fond du cœur, lorsque l'on aime à souffrir et à faire ce qui est ordonné par cette adorable volonté. Ce que la bouche ne peut prononcer que par plusieurs syllabes, paroles, et avec du temps, le cœur le prononce réellement à chaque instant. Et les âmes simples sont ainsi appliquées à bénir Dieu dans le fond de leur intérieur. Elles gémissent de leur impuissance, de ne le pouvoir faire autrement, tant il est vrai que Dieu donne à ces âmes de foi des grâces et des faveurs par cela même qui en paraît la privation. C'est là le secret

150

---

31. Cf. *Job* 1, 21 et *Psaume* 72, 17-19.

de la sagesse divine, d'appauvrir les sens en enrichissant le cœur. Le vide de l'un fait la plénitude de l'autre, et cela si universellement que plus il y a de sainteté dans le fond, moins il en paraît au-dehors.

Ce qui arrive à chaque moment porte l'empreinte de la volonté de Dieu. Que ce nom est saint ! Qu'il est donc juste de le bénir, de le traiter comme une chose qui sanctifie ce qu'elle désigne ! Peut-on donc voir ce qui porte ce nom si auguste sans l'estimer infiniment ? C'est une manne divine qui coule du ciel pour donner un accroissement continuel dans la grâce. C'est un royaume de sainteté qui vient en l'âme. C'est le pain des anges qui se mange sur la terre comme au ciel. Il n'y a rien de petit dans nos moments, puisque tous renferment un royaume de sainteté, une nourriture angélique [32]. Oui, Seigneur, que ce royaume vienne dans mon cœur pour le sanctifier, le nourrir, le purifier, le rendre victorieux de mes ennemis ! Précieux moment, que tu es petit à mes yeux ! que tu es grand aux yeux de mon cœur ! Mais le moyen de recevoir les petites choses de la main d'un Père qui règne dans les cieux ? Tout ce qui vient de là est très excellent, tout ce qui en descend porte le caractère de son origine. Il est juste, Seigneur, que l'âme qui n'est pas satisfaite par la plénitude divine du moment présent qui descend du Père des lumières, soit punie par l'impuissance de se trouver contente dans aucune chose. Si les livres, les exemples des saints, les discours spirituels

51

---

32. Ms : *évangélique*.

ôtent la paix, cette réplétion de rassasiement divin du moment présent est une marque que ce n'est point pur abandon du moment présent à l'action divine et qu'on se remplit de ces choses par propriété. Leur plénitude alors ferme l'entrée à celle de Dieu. Il faut s'en vider comme d'un empêchement. Quand l'action divine ordonne ces choses, l'âme les reçoit comme le reste, c'est-à-dire comme ordre de Dieu : elle les laisse telles qu'elles sont et n'en prend rien que le simple usage pour être fidèle et, dès que le moment des pensées est passé, elle les abandonne pour se contenter du moment suivant.

La lecture spirituelle par action divine donne souvent l'intelligence que les auteurs n'ont jamais eue. Dieu se sert des paroles et des actions des autres pour inspirer des vérités qui n'ont point été découvertes. Il veut éclairer par ces moyens, il est de l'abandon de s'en servir. Et tout moyen appliqué par l'action divine a une efficacité qui surpasse toujours la vertu naturelle et apparente.

C'est le caractère de l'abandon de mener toujours une vie mystérieuse et de recevoir de Dieu les dons extraordinaires et miraculeux par l'usage des choses communes, naturelles, fortuites, de hasard et où il ne paraît rien que le cours ordinaire des humeurs du monde et des éléments. Ainsi les sermons les plus simples et les conversations les plus communes et les livres les moins relevés deviennent à ces âmes, par la vertu de l'ordre de Dieu, des sources d'intelligence et de sagesse. C'est pourquoi elles ramassent avec soin les miettes que les esprits forts foulent aux pieds. Tout leur est précieux, tout les enrichit. Elles sont dans une indifférence inexprimable pour toutes choses et n'en négligent aucune, respectant tout et en retirant leur utilité.

Quand Dieu est en toutes choses, l'usage que l'on en fait par son ordre n'est point usage des créatures, mais c'est jouissance de l'action divine qui transmet ses dons par ces différents canaux. Ils ne sanctifient point par eux-mêmes, mais seulement comme instruments de l'action divine, qui peut communiquer et communique très souvent ses[33] grâces aux âmes simples par des choses qui paraîtraient opposées à la fin qu'elle se propose. Elle éclaire avec de la boue comme avec la plus subtile matière, et l'instrument dont elle veut se servir est toujours l'unique : tout lui est égal. La foi croit toujours que rien ne lui manque. Elle ne se plaint point de la privation des moyens qu'elle croit être utiles pour son avancement, parce que l'ouvrier qui les met en œuvre y supplée efficacement par sa volonté. Cette volonté sainte est toute la vertu des créatures.

L'esprit, avec tout ce qui en dépend, veut tenir le premier rang entre les moyens divins. Il faut le réduire au dernier rang, comme un esclave dangereux dont le cœur simple, s'il sait s'en servir, peut tirer de très grands avantages, mais qui peut aussi nuire beaucoup, s'il n'est pas assujetti. Quand l'âme soupire après les moyens créés, l'action divine lui dit au cœur qu'elle lui

154

---

33. Ms : *ces.*

suffit. Quand elle veut y renoncer réellement, l'action divine lui dit que ce sont des instruments qu'il ne faut prendre ni laisser, mais s'ajuster avec simplicité à l'ordre de Dieu, usant de tout comme n'en usant pas, étant privée de tout comme ne manquant de rien[34]. L'action divine étant une plénitude indéficiente[35], le vide que cause l'action propre est une plénitude déguisée qui exclut l'action divine. La plénitude de l'action divine faite par un moyen créé qu'elle applique, est un véritable accroissement de sainteté et de simplicité, dc pureté, de détachement. On reçoit un prince tout seul en recevant sa suite. Ce serait lui faire injure que de ne témoigner aucune affection à ses officiers sous prétexte de vouloir le posséder seul. Faisons l'application. Tout cela est de son être : Dieu était saint dans les siècles passés, il l'est de même dans le présent, il le sera dans tous les siècles à venir. Il n'y a point de moments dans tous [les siècles] qu'il ne remplisse de son infinie sainteté. Si ce que Dieu choisit lui-même exprès pour vous ne vous suffit pas, quelle autre main que la sienne pourrait vous suffire ? Si vous êtes dégoûté[36] d'une viande que la divine volonté a elle-même préparée, quelle nourriture ne sera pas insipide à un goût si dépravé ? Une âme ne peut être véritablement nourrie, fortifiée, purifiée, enrichie, sanctifiée que par cette plénitude du moment présent. Que voulez-vous donc davantage ?

155

---

34. *1 Corinthiens* 7, 31.
35. Latinisme : sans défaut ni limite.
36. Ms : *dégoûtée.*

Puisque vous trouvez tous les biens, pourquoi les chercher ailleurs ? L'entendez-vous mieux que Dieu ? Puisqu'il ordonne que ce soit ainsi, comment pourriez-vous désirer que ce ne fût pas ? Sa sagesse et sa bonté peuvent-elles se tromper ? Dès qu'elles font une chose, ne devez-vous pas être pleinement convaincu [37] qu'elle est excellente ? La conclusion qui doit se présenter à l'esprit, [est] que l'action émanée par l'ordre de Dieu doit être excellente puisqu'elle est sa volonté, et je ne puis trouver ailleurs, quelque bon qu'il soit en lui-même, une sainteté qui me soit appropriée pour ma sanctification.

Qu'il se trouve d'infidélité au monde ! Que l'on pense indignement de Dieu, puisque sans cesse l'on trouve à redire à l'action divine, ce que l'on [n']oserait faire du moindre artisan dans son art ! Et l'âme veut se réduire à n'agir que dans les bornes et selon les règles qu'imagine notre faible raison ! On prétend la [38] réformer ; ce ne sont que plaintes, que murmures ; on est surpris du traitement que les Juifs ont fait à Jésus-Christ... Ah ! divin amour ! adorable volonté ! action infaillible ! comment est-ce que l'on vous regarde ? La volonté divine peut-elle venir mal à propos, peut-elle avoir tort ? « Mais j'ai telle affaire, une telle chose me manque, on m'enlève les moyens nécessaires ! Cet homme me traverse dans de si saintes œuvres, cela n'est-il pas tout à fait déraisonnable ? Cette

156

157

---

37. Ms : *convaincue*.
38. L'action divine.

maladie me prend lorsque je ne puis me passer absolument de la santé ! » Et moi je dis que la volonté de Dieu est la seule chose nécessaire. Ainsi tout ce qu'elle ne donne point est inutile. Non, chères âmes, rien ne vous manque ! Tout ce que vous appelez revers, contretemps, mal à-propos et sans raison, contrariétés, si vous saviez ce que c'est, vous seriez dans une extrême confusion. Ce sont des blasphèmes, mais vous n'y pensez pas. Car tout cela n'est autre chose que la volonté de Dieu. Elle est blasphémée par ses chers enfants qui la méconnaissent.

Lorsque vous étiez sur la terre, ô mon Jésus, les Juifs vous traitaient de magicien, vous nommaient Samaritain. Et aujourd'hui, de quel œil regarde-t-on votre adorable volonté, [vous] qui vivez dans tous les siècles, toujours digne de bénédictions, de louanges ? S'est-il écoulé un moment depuis la création jusqu'à celui où nous vivons et s'en écoulera-t-il jusqu'au jugement, dans lequel le saint nom de Dieu ne soit digne de louange ? Ce nom qui remplit tous les temps et ce qui se passe dans tous les temps ! Ce nom qui rend toutes choses salutaires ! Quoi ? Ce qui s'appelle volonté de Dieu me [39] pourrait faire du mal ? Je craindrais, je fuirais le nom de Dieu ? Et où irais-je donc pour trouver quelque chose de meilleur, si j'appréhende l'action divine sur moi, puisque c'est l'effet de sa divine volonté ?

Comment devons-nous écouter la parole qui nous est dite au fond du cœur à chaque moment ? Si nos sens, si notre raison

---

39. Ms : *ne.*

n'entendent pas, ne pénètrent pas la vérité et la bonté de cette parole, n'est-ce pas à cause de leur incapacité pour les vérités divines ? Dois-je être étonné [40] de ce qu'un mystère déconcerte la raison ? Dieu parle : c'est un mystère. C'est donc une mort pour mes sens et la raison, car les mystères sont de nature à les immoler : le mystère n'est que vie au cœur par la foi, il n'y a que contradiction pour le reste. L'action divine mortifie [et] vivifie par le même coup, et plus on sent de mort, et plus on croit qu'il donne de vie. Plus le mystère est obscur, plus il contient de lumière. C'est ce qui fait que l'âme simple ne trouve rien de plus divin que ce qui l'est moins en apparence. C'est ce qui fait la vie de la foi.

---

40. Ms : *étonnée.*

X

Tout le secret de la spiritualité
consiste à aimer Dieu et le servir,
s'unissant à sa sainte volonté
pour tout ce qui arrivera à faire et à souffrir

Toutes les créatures sont vivantes dans la [159]
main de Dieu. Les sens n'aperçoivent que
l'action de la créature, mais la foi croit l'action
divine en tout. Elle voit que Jésus-Christ vit en
tout et opère dans toute l'étendue des siècles,
que le moindre moment et le plus petit atome
renferment une portion de cette vie cachée et de
cette action mystérieuse. L'action des créatures
est un voile qui couvre les profonds mystères de
l'action divine. Jésus-Christ après sa résurrection
surprenait ses disciples dans ses apparitions. Il se
présentait à eux sous des figures qui le dégui-
saient et, aussitôt qu'il se découvrait, il dispa-
raissait. Ce même Jésus qui est toujours vivant,
toujours opérant, surprend encore les âmes qui
n'ont pas la foi assez pure et assez perçante. Il
n'y a aucun moment où Dieu ne se présente sous [160]
l'apparence de quelque peine, de quelque obligation ou de quelque devoir. Tout ce qui [se] fait
en nous, autour de nous et par nous, renferme et
couvre son action divine quoique invisible, ce

qui fait que nous sommes toujours surpris et que nous ne connaissons son opération que lorsqu'elle ne subsiste plus. Si nous percions le voile et [si] nous étions vigilants et attentifs, Dieu se révélerait sans cesse à nous et nous jouirions de son action en tout ce qui nous arrive. À chaque chose nous dirions : *Dominus est*, c'est le Seigneur[1] ! Et nous trouverions dans toutes les circonstances que nous recevons un don de Dieu ; [dans] les créatures, de très faibles instruments ; que rien ne nous manquerait et que le soin continuel de Dieu le porte à nous départir ce qui nous convient. Si nous avions de la foi, nous saurions bon gré à toutes les créatures, nous les caresserions, nous les remercierions intérieurement de ce qu'elles servent et se rendent si favorables à notre perfection, appliquées par la main de Dieu. La foi est la mère de la douceur, de la confiance, de la joie. Elle ne peut avoir que de la tendresse et de la compassion pour ses ennemis qui l'enrichissent si fort à leurs dépens. Plus l'action de la créature est dure, plus celle de Dieu la rend avantageuse à l'âme. Il n'y a que l'instrument qui la gâte et les mains de ce tourneur surnaturel ne sont impitoyables que pour ôter à l'âme ce qui lui est préjudiciable. La volonté de Dieu n'a que des douceurs, des faveurs, des trésors pour les âmes soumises, on ne peut avoir trop de confiance en elle et s'y [trop] abandonner. Elle peut et veut toujours ce qui contribuera le plus à notre perfection, pourvu toutefois que nous laissions faire Dieu. La foi

161

---

1. *Jean* 21, 7.

n'en doute pas. Plus les sens sont infidèles, révoltés, désespérés, incertains, plus la foi dit : « Cela est Dieu ! Tout va bien ! »

Il n'y a rien que la foi ne digère et ne surmonte. Elle passe au-delà de tout[2], et quelques efforts que les ombres fassent, elle les perce[3] pour aller jusqu'à la vérité, elle l'embrasse toujours avec fermeté et ne s'en sépare jamais. Je crains plus ma propre action et celle de mes amis que celle de mes ennemis. Il n'y a point de prudence égale à celle de [ne pas] résister à ses ennemis et de ne leur opposer qu'un simple abandon. C'est avoir le vent en poupe, il n'y a qu'à se tenir en paix : ce sont des galériens qui mènent au port à toutes rames. Il n'y a rien de plus sûr à opposer à la prudence de la chair que la simplicité : elle élude admirablement toutes les ruses sans les connaître, sans y penser même. L'action divine lui fait prendre des mesures si justes qu'elle surprend ceux qui la veulent surprendre. Elle profite de tous leurs efforts, elle s'élève par où on l'abaisse, toutes les contrariétés lui tournent en bien et, en laissant faire ses ennemis, elle en tire un service si continuel et si suffisant que tout ce qu'elle doit craindre est de se mettre de la partie et de travailler à un ouvrage dont Dieu veut être le principe (ses ennemis en sont les instruments), et où elle n'a rien à faire qu'à voir en paix ce que Dieu fait, et à suivre avec simplicité les attraits qui sont toujours heureusement conduits par la

162

2. Ms : *toutes.*
3. Ms : *elles les percent.*

prudence surnaturelle de l'Esprit divin, qui atteint très infailliblement le point et les circonstances intimes de chaque chose, et applique l'âme, sans qu'elle le sache, si à propos que tout ce qui s'oppose à elle ne manque jamais d'être détruit.

163

L'unique et l'infaillible mouvement de l'action divine applique toujours l'âme simple à propos. Elle [4] correspond en tout très sagement par son intime direction. Elle veut tout ce qui arrive, tout ce qui se passe, tout ce qu'elle sent, hors le péché. Quelquefois cela se fait avec connaissance et quelquefois sans connaissance, [l'âme] étant mue par des instincts obscurs à dire, à faire, à laisser les choses sans avoir d'autres raisons. Souvent l'occasion et la raison [qui] la déterminent ne sont que d'un ordre naturel. L'âme simple n'y entend aucun mystère : c'est un pur hasard, une nécessité, une convenance, ce n'est même rien à ses yeux ni à ceux des autres. Et cependant, la divine action, qui est l'intelligence, la sagesse et le conseil de ses amis, se sert en leur faveur de toutes ces choses si simples. Elle se les approprie, elle les ajuste si industrieusement à tous ceux qui font des projets pour leur nuire qu'il est impossible qu'ils en viennent à leur fin. Avoir affaire à une âme simple, c'est avoir affaire à Dieu ! Quelle mesure prendre contre le Tout-Puissant dont les voies sont inscrutables ? Dieu prend en main la cause de l'âme simple. Il n'est pas nécessaire qu'elle étudie vos intrigues, qu'elle oppose

164

---

4. L'âme simple.

inquiétude à inquiétudes en épiant soigneuse-
ment toutes vos démarches. Son époux la
décharge de tous ces soins : elle vous [le] met
en tête[5] et se repose sur lui, pleine de paix et de
sécurité. L'action divine délivre l'âme et
l'exempte de tous ces moyens bas et inquiets si
nécessaires à la prudence humaine. Cela est bon
pour Hérode et les pharisiens. Mais les mages
n'ont qu'à suivre en paix leur étoile, l'enfant n'a
qu'à se laisser entre les bras de sa mère, ses
ennemis avancent ses affaires plus qu'ils n'y
nuisent : plus ils tâcheront de les traverser et de
les surprendre, plus il agira tranquillement et
librement. Il ne les ménagera point, il ne leur
fera point bassement la cour pour détourner leurs
coups : leurs jalousies, leurs méfiances, leurs
persécutions lui sont nécessaires. Jésus-Christ
vivait ainsi dans la Judée. Il vit encore dans les
âmes simples de la même manière. Il y est généreux, doux, libre, paisible, sans crainte, sans
besoin de personne, voyant toutes les créatures
dans les mains de son Père empressées à le
servir, les uns par leurs passions criminelles, les 165
autres par leurs saintes actions, celles-ci par leurs
contradictions, celles-là par leur obéissance et
leurs soumissions. L'action divine ajuste
merveilleusement tout cela. Rien ne manque,
rien n'est de trop, il n'y a de mal et de bien que
ce qu'il faut. L'ordre de Dieu applique à chaque
moment l'instrument qui lui est propre, et l'âme
simple élevée par la foi trouve tout bien et ne
veut ni plus ni moins que ce qu'elle a. Elle bénit

---

5. Elle vous l'oppose.

en tous temps cette main divine qui fait couler si suavement ses eaux si salutaires le long de son fonds, elle reçoit les amis et ennemis avec la même douceur, car c'est la façon de Jésus de traiter tout le monde comme instrument divin. L'on n'a besoin de personne, et cependant on a besoin de tous. L'action divine rend tout nécessaire et il faut le recevoir de sa part, prenant tout selon sa qualité et sa nature, y correspondant avec douceur et humilité selon ce qu'il est, ainsi que dit saint Paul[6] et que Jésus-Christ pratiquait encore mieux, traitant les simples simplement, les grossiers avec bonté. Il n'appartient qu'à la grâce d'imprimer cet air surnaturel qui se particularise et s'approprie si merveilleusement à la nature de chaque personne. Cela ne s'apprend point dans les livres, c'est un vrai esprit prophétique et l'effet d'une révélation intime, c'est une doctrine du Saint-Esprit. Pour la concevoir, il faut être dans le dernier abandon, le dégagement le plus parfait de tout dessein, de tout intérêt, quelque saint qu'il soit. Il faut n'avoir que l'unique affaire au monde que de se laisser passivement à l'action divine pour s'adonner à ce qui regarde les obligations de son état, laissant agir l'Esprit Saint dans l'intérieur, sans regard sur ce qu'il opère, étant bien aise même de ne pas le connaître. Tout ce qui arrive dans le monde n'est souvent que pour le bien des âmes soumises à la volonté de Dieu.

La figure du monde se montre d'or, d'airain,

---

6. *1 Corinthiens* 9, 22.

de fer, de terre[7] : ce mystère d'iniquité qui n'est que l'assemblage confus de toutes les actions intérieures et extérieures des enfants de ténèbres, cette bête sortie de l'abîme pour faire la guerre à l'homme intérieur et spirituel dès le commencement des siècles. Et tout ce qui s'est passé jusqu'à présent n'est qu'une suite de cette guerre : les monstres se succèdent les uns aux autres, l'abîme les dévore et les revomit, il envoie incessamment de nouvelles vapeurs. Le combat commencé au ciel entre Lucifer et saint Michel dure encore. Le cœur de cet ange superbe et envieux est devenu un abîme inépuisable de toutes sortes de maux. Il a révolté les anges contre les anges dans le ciel et tout son soin, depuis la création du monde, est de susciter toujours de nouveaux scélérats parmi les hommes qui prennent la place de ceux qu'il engloutit. Lucifer est le chef de ceux qui s'y soumettent avec joie. Le mystère d'iniquité n'est que l'aversion de l'ordre de Dieu, c'est l'ordre ou plutôt le désordre du diable. Ce désordre est un mystère, car il cache sous de belles apparences des maux irrémédiables et infinis : tous ces impies qui, depuis Caïn jusqu'à ceux qui désolent présentement l'univers, ont été en apparence de grands, de puissants princes qui ont fait grand bruit dans le monde et que les hommes ont adorés. Mais cette apparence pompeuse est un mystère : ce ne sont que des bêtes qui sont montées de l'abîme, les unes après les autres,

167

168

---

7. Cf. le songe de Nabuchodonosor (*Daniel* 2, 32-33). Ce qui suit s'inspire des ch. 9 à 13 de l'*Apocalypse.*

pour renverser l'ordre de Dieu[8]. Mais cet ordre, qui est un autre mystère, a toujours opposé des hommes véritablement grands et puissants qui ont porté le coup mortel à ces monstres. Et, à mesure que l'enfer en a vomi de nouveaux, le ciel aussi fait naître des héros qui les ont combattus. L'histoire ancienne, sainte et profane, n'est que l'histoire de cette guerre. L'ordre de Dieu est toujours demeuré victorieux, ceux qui sont rangés de son côté de même, et [ils] sont heureux pour une éternité. Et l'injustice n'a jamais pu protéger les déserteurs, elle ne les a payés que de mort et de mort éternelle.

L'on croit toujours être invincible quand on a l'impiété en tête. Ô Dieu ! le moyen de vous résister ? Quand une seule âme aurait l'enfer, le monde contre elle, elle ne pourrait craindre dans le parti de l'abandon à l'ordre de Dieu. Cette apparence monstrueuse, armée de l'impiété, de tant de puissance, cette tête d'or, ce corps d'argent, d'airain, de fer, tout cela n'est qu'un fantôme de poussière éclatante : une petite pierre la rend le jouet des vents[9].

Que le Saint-Esprit est admirable pour représenter tous les siècles ! Tant de révolutions qui surprennent si fort les hommes, les héros qui viennent avec tant d'éclat et sont comme autant d'astres qui roulent sur la tête des autres, tant d'événements extraordinaires : tout cela n'est qu'un songe qui échappe à la mémoire de

169

---

8. Le traité évoque maintenant *Apocalypse* 17, 7-14.

9. Cf. *Daniel* 2, 34-35 (l'effondrement de la statue vue en songe par Nabuchodonosor).

Nabuchodonosor à son réveil, quelque terribles [soient les] impressions sur son esprit qui se font !

Tous ces monstres ne viennent au monde que pour exercer le courage des enfants de Dieu. Et, lorsqu'ils sont assez instruits, Dieu leur donne le plaisir de tuer leur monstre. Le ciel ensuite enlève les victorieux et l'enfer engloutit les vaincus. Il reproduit un autre monstre et Dieu appelle de nouveaux athlètes dans le champ de bataille. Et cette vie n'est qu'un spectacle continuel qui fait la joie du ciel, l'exercice des saints de la terre et la confusion de l'enfer. Ainsi tout ce qui s'oppose à l'ordre de Dieu ne sert qu'à le rendre plus adorable. Tous les ennemis de l'équité [10] sont les esclaves de la justice, et l'action divine bâtit la céleste Jérusalem avec les instruments de la Babylone qui n'est composée que de leurs pièces usées et brisées.

À quoi servent les plus sublimes lumières, les divines révélations quand on n'aime pas la volonté de Dieu ? Lucifer n'a pu approuver son ordre. La conduite de l'action divine que Dieu lui révélait en lui découvrant le mystère de l'Incarnation, ne lui causa que de l'envie. Et une âme simple et éclairée des seules lumières de la foi ne peut se lasser d'admirer, de louer, aimer l'ordre de Dieu, de le trouver non seulement dans les créatures saintes, mais même dans le désordre et la confusion des plus déréglées. Un grain de pure foi éclaire plus l'âme simple que Lucifer ne l'a été par ses lumières si élevées. La

170

---

10. Ms : *inéquité.*

science de l'âme fidèle à ses obligations, tranquillement soumise aux ordres intimes de la grâce, douce et humble envers tous, vaut mieux que la plus profonde pénétration des mystères. Si on ne voyait que l'action divine dans tout cet orgueil et cette dureté de l'action des créatures, on ne les recevrait jamais qu'avec douceur et avec respect. Leurs désordres ne feraient point quitter l'ordre. Quelque train qu'elles aillent, il ne faut jamais quitter cette union à l'action divine qu'elles portent et qu'elles donnent par la douceur et l'humilité. Il ne faut pas regarder la voie qu'elles tiennent, mais marcher toujours avec fermeté dans la sienne. Et c'est ainsi qu'en pliant doucement, on brise les cèdres et on renverse les rochers. Car qu'y a-t-il dans les créatures qui puisse résister à la force d'une âme fidèle, douce et humble ? Si nous voulons vaincre infailliblement tous nos adversaires, il ne faut leur opposer que ces armes. Jésus-Christ nous les a mises entre les mains pour notre défense, il n'y a rien à craindre quand on sait s'en servir. Il ne faut pas être lâche, mais généreux, car l'action des instruments divins ne consiste qu'en cela. Dieu fait le sublime et le merveilleux, et jamais l'action propre qui fait la guerre à Dieu ne peut résister à celui qui est uni à l'action divine par la douceur et l'humilité.

Qu'est-ce que Lucifer ? C'est un bel esprit, le plus éclairé de tous les esprits, mais un esprit mécontent de Dieu et de son ordre. Le mystère de l'iniquité n'est que l'étendue de ce mécontentement qui se manifeste de toutes les manières possibles. Lucifer, autant qu'il est en lui, ne voudrait rien laisser tel que Dieu l'a fait et ordonné. Partout où il pénètre, vous y voyez toujours l'ouvrage de Dieu défiguré. Plus une personne a de lumière et de science, de capacité, plus elle est à craindre si elle n'a pas le fondement de la piété qui consiste à être contente de Dieu et de sa volonté. C'est par le cœur réglé qu'on est uni à l'action divine. Sans lui tout n'est que pure nature et, pour l'ordinaire, pure opposition à l'ordre de Dieu qui n'a point, à proprement parler, d'autres instruments que les humbles, et est toujours contredit par les superbes, qui ne laissent pas cependant de lui servir comme des esclaves pour l'accomplissement de ses desseins. 173

Quand je vois une âme qui fait son tout de Dieu et de la soumission à ses ordres, quelque dénuée qu'elle soit de toute autre chose, je dis : « Voilà une âme qui a de grands talents pour servir Dieu. » La Sainte Vierge et saint Joseph ne portaient point une autre apparence. Le reste, sans cela, me fait peur et je crains d'y voir [11] l'action de Lucifer. Je me tiens sur mes gardes et m'affermis dans mon fonds pour l'opposer uniquement à tout cet éclat sensible, qui alors ne [12] paraît qu'un verre fragile.

L'ordre de Dieu est toute la politique de l'âme simple. Elle le respecte dans les actions irrégulières que le superbe fait pour l'avilir. Ce superbe méprise une âme devant les yeux de laquelle il n'est rien, car elle ne voit que Dieu en

---

11. Ms : *d'avoir.*
12. Ms : *me.*

lui et en toutes ses actions. Souvent il pense que sa modestie est une marque qu'elle appréhende, quoique [ce soit] le signe de cette crainte amoureuse qu'elle a de Dieu et de sa volonté qui lui est présente dans le superbe. Non, pauvre insensé, l'âme simple ne te craint pas, tu lui fais compassion. C'est à Dieu qu'elle répond, lorsque tu penses qu'elle te parle, c'est à lui qu'elle croit avoir affaire. Elle ne te regarde que comme un de ses esclaves ou plutôt comme une ombre sous laquelle il se déguise. Ainsi, plus tu prends le ton haut, plus de son côté elle le prend bas et, lorsque tu crois la surprendre, elle te surprend toi-même. Tes finesses, tes violences ne sont pour elle que des faveurs de providence. Le superbe est encore une énigme que l'âme simple et éclairée par la foi explique très intelligiblement. Cette découverte de l'action divine dans tout ce qui se passe à chaque moment est l'intelligence la plus subtile que l'on puisse avoir en cette vie des choses de Dieu. C'est une révélation continuelle, c'est un commerce avec Dieu qui se renouvelle sans cesse, c'est la jouissance de l'époux non en cachette, à la dérobée, dans le cellier, dans la vigne, mais à découvert et [en] public, sans crainte d'aucune créature. Ce fonds de paix, de joie et d'amour, de contentement de Dieu vu, su, [ou] plutôt cru vivant et opérant toujours le plus parfait en tout ce qui se présente à tous les instants, est le paradis éternel, qui n'est, à la vérité, présentement qu'en choses informes, couvert de ténèbres. Mais l'Esprit de Dieu, qui en arrange en cette vie secrètement toutes les pièces par cette continuelle et féconde présence de son action, dira au jour de la mort : *fiat lux !* [13] Et alors on verra les trésors que renferme la foi dans cet abîme de paix et de contentement de Dieu qui trouve à chaque moment et en tout ce qui est à souffrir et faire.

Quand Dieu se donne ainsi, tout le commun devient extraordinaire et c'est pour cela que rien ne le paraît. C'est que cette voie est par elle-même une voie extraordinaire. Par conséquent, il n'est pas nécessaire de l'orner de merveilles qui ne lui sont pas propres. C'est un miracle, une révélation, une jouissance continuelle, à de petites fautes près, mais en foi. Son caractère est de n'avoir rien de sensible et de merveilleux, mais de rendre merveilleuses toutes les choses communes et sensibles. C'est [ce] que la sainte Vierge pratiquait.

---

13. « Que la lumière soit ! » (*Genèse* 1, 3).

XI

Dans le pur abandon à Dieu,
tout ce qui paraît obscurité est action de foi

Il y a un genre de sainteté où toutes les communications divines sont lumineuses et distinctes. Dans la voie passive de foi, tout ce que Dieu communique tient de sa nature et de ces ténèbres inaccessibles qui environnent son trône : ce ne sont que sentiments confus et ténébreux. L'âme qui s'y trouve, appréhende souvent comme le prophète d'aller donner tête baissée[1] contre quelque écueil en marchant au travers de cette obscurité. Non, âme fidèle, ne craignez point ! C'est là votre voie et la conduite de Dieu sur vous, il n'y a rien de plus sûr et de plus infaillible que les ténèbres de la foi. Mais de quel côté aller quand la foi est si obscure ? Allez partout où vous voudrez, on ne peut plus s'égarer quand on n'a plus de chemin à chercher et que l'obscurité rend tout égal. On ne peut plus tendre à aucun terme et on [n']a aucun objet devant les yeux. Mais tout me fait peur, il me

---

1. Ms : *donner et baissée.*

177 semble à chaque moment tomber dans un précipice, tout me peine. Je sens bien que j'agis par abandon, mais il me semble que je ne puis faire quelque chose qu'en cessant d'agir par vertu. J'entends toutes les vertus qui se plaignent que je m'éloigne d'elles. Plus ces plaintes me paraissent aimables et m'y attachent, plus l'impression obscure qui me pousse paraît m'en éloigner. J'aime la vertu, mais je cède à l'attrait. Je ne vois pas qu'il me mène bien, mais je ne puis m'empêcher de le croire.

L'esprit court à la lumière, mais le cœur ne veut que les ténèbres. Toutes les personnes, tous les esprits lumineux plaisent à mon esprit, mais mon cœur ne goûte que les entretiens et les discours où il n'entend rien. Et tout, son état et sa voie sont une impression du don de la foi qui fait aimer, goûter des principes, des vérités, des chemins où l'esprit n'a ni objets, ni idées, où il tremble et frémit, il chancelle. L'assurance est je ne sais comment au fond de mon cœur, et celui-ci va comme il est poussé, convaincu de la
178 bonté de l'impression, non par évidence, mais par sentiment de foi. C'est qu'il est impossible que Dieu mène une âme sans lui imprimer une certitude de la bonté de sa voie qui est d'autant plus grande qu'elle est moins aperçue. Et cette certitude est victorieuse de toutes les créatures, de toutes les peurs, de tous les efforts, de toutes les idées de l'esprit : il a beau crier, citer, chercher mieux. L'épouse sent [l'époux] sans sentir, car lorsqu'elle le veut toucher, il disparaît. Elle

sent la droite de l'époux qui l'environne [2] et elle aime mieux s'égarer en s'abandonnant à sa conduite qui la mène sans raison et sans ordre, que de s'assurer en prenant avec effort les routes marquées de la vertu.

Allons donc, mon âme, allons à Dieu par l'abandon ! Et, puisque la vertu vient de l'industrie et des efforts, avouons-lui notre impuissance et notre confiance en Dieu qui ne nous réduirait pas à ne pouvoir marcher à pied, s'il n'avait la bonté de nous porter sur ses bras. Qu'avons-nous besoin de lumières, Seigneur, de voir, de sentir, d'assurances, d'idées, de réflexions, puisque nous ne marchons pas, mais nous sommes portés [3] sur le sein de la providence ? Plus il y aura de ténèbres, d'abîmes, d'écueils, de morts, de déserts, de craintes, de persécutions, de sécheresses, de disettes, d'ennuis, d'angoisses, de désespoirs, de purgatoire, d'enfer en notre route, plus notre foi et notre confiance seront grandes. Il suffira de jeter les yeux sur vous pour être assuré [4] dans les plus grands périls. Nous oublierons les chemins et leurs qualités, nous nous oublierons nous-mêmes et, tout à fait abandonnés [5] à la sagesse, à la bonté, à la puissance de notre guide, nous ne nous souviendrons plus que de vous aimer, fuir tout péché, non seulement évident mais le plus léger, remplir les obligations de devoir. Voilà le

179

---

2. *Cantique* 2, 6.
3. Ms : *portées.*
4. Ms : *assurée.*
5. Ms : *abandonnées.*

seul soin, cher amour, que vous laissez à vos
chers petits enfants. Vous vous chargez de tout
le reste. Plus tout le reste est terrible, plus ils
attendent et ils voient votre présence. Ils n'ont
soin que d'aimer comme s'ils n'étaient plus et ils
remplissent leurs petits devoirs comme un enfant
180   sur le sein de sa mère s'occupe à ses seuls
amusements, comme s'il n'avait au monde que
sa mère et ses jeux. L'âme doit outrepasser tout
ce qui lui fait ombre. La nuit n'est pas le temps
d'agir mais de se reposer. La lumière de la raison
ne peut qu'accroître les ténèbres de la foi, le
rayon qui les perce doit venir d'aussi haut
qu'elles.

Quand Dieu se communique à l'âme comme
vie, il n'est plus devant ses yeux comme voie et
comme vérité[6]. L'époux cherche l'épouse la
nuit. Il est derrière elle, il la tient entre ses
mains, il la pousse : elle le cherche devant et le
fuit[7] ! Il n'est plus objets et idées, il est principe et source. Il y a dans l'action divine des
ressources secrètes et inopinées, merveilleuses et
inconnues pour tous les besoins, embarras et
troubles, les chutes, les renversements, les persécutions, les incertitudes, les inquiétudes, les
doutes des âmes qui n'ont plus de confiance dans
leurs actions propres. Plus la scène est mêlée,
plus on espère[8] de charmes dans le dénouement.
181   Le cœur dit : « Tout ira bien ! C'est Dieu qui

---

6. Cf. *Jean* 14, 6 : « Je suis la voie, la vérité et la vie. »

7. Cf. *Cantique* 3, 1. Les rôles de l'époux et de l'épouse
sont ici inversés. C'est Dieu qui cherche l'âme, il est à ses
côtés. Croyant le chercher, l'âme, en réalité, le fuit !

8. Ms : *opère.*

conduit l'ouvrage. » Rien ne fait peur. La peur
même, la suspension, la désolation sont des
versets de cantiques ténébreux. On est ravi de
n'en pas omettre une syllabe, on sait que tout se
termine au *Gloria Patri*[9]. Ainsi on fait sa voie[10]
de son égarement. Les ténèbres mêmes servent
de conduite ; les doutes, d'assurances. Et plus
Isaac est en peine de trouver de quoi faire le
sacrifice, plus Abraham remet et attend tout de la
Providence.

Les âmes qui marchent dans la lumière chantent des cantiques de lumière. Celles qui
marchent dans les ténèbres chantent le cantique
des ténèbres. Il faut laisser chanter à l'âme[11] la
partie et le motet que Dieu lui donne jusqu'au
bout. Il ne faut rien [o]mettre dans ce qu'il
remplit, il faut laisser couler toutes les gouttes
de ce fiel de ces[12] divines amertumes, quand
[bien même] il enivrerait. Jérémie, Ézéchiel étant
de même : toutes leurs paroles n'étaient que des
soupirs et des sanglots, et la consolation ne se
trouvait jamais que dans la continuation de leurs
lamentations. Qui aurait arrêté le cours de leurs
larmes, nous aurait dérobé les plus beaux   182
endroits de l'Écriture. L'Esprit qui désole est le
seul qui puisse consoler : ces différentes eaux
coulent de même source. Quand elle étonne une
âme, il faut qu'elle tremble ; quand elle[13] la

---

9. « Gloire au Père, au Fils et au Saint-Esprit » : conclusion
des hymnes et psaumes chantés dans la liturgie.
10. Ms : *la voie.*
11. Ms : *l'une.*
12. Ms : *ses.*
13. Ms : *il.* Il s'agit de la source.

menace, elle est effrayée. Il n'y a qu'à laisser développer l'opération divine, elle porte dans toute son étendue le mal et le remède. Pleurez, chères âmes, tremblez, soyez dans l'inquiétude et à l'agonie ! Ne faites point d'effort pour changer ces divines frayeurs, ces célestes gémissements ! Recevez dans le fond de votre être les ruisseaux dont Jésus a porté la mer dans sa sainte âme ! Allez toujours, semant des larmes tant que le souffle de la grâce les fera couler ! Et, insensiblement, le même souffle les fera sécher, les nuées se dissiperont, le soleil répandra sa lumière, le printemps vous couvrira de fleurs et la suite de votre abandon vous fera trouver l'admirable variété que porte dans toute son étendue l'action divine. En vérité, c'est bien en vain que l'homme se trouble. Tout ce qui se passe en lui est semblable à un songe. Une ombre fuit et détruit l'autre, les imaginations se succèdent dans ceux qui dorment. Les unes affligent, les autres consolent. L'âme est le jouet de ces apparences qui se dévorent les unes les autres et le réveil fait voir que toutes n'avaient rien qui dût arrêter l'âme. Il dissipe toutes ces impressions et on ne tient compte ni de ces périls ni de ces bonheurs du sommeil.

Dans quel sens, Seigneur, pourrais-je dire que vous tenez endormis tous vos enfants sur votre sein pendant toute la nuit de la foi, que vous vous divertissez à faire passer dans leurs âmes une infinité et une infinie variété de sentiments qui ne sont au fond que de saintes et mystérieuses rêveries ? Par l'état où la nuit et le sommeil les mettent, elles causent en eux de véritables et douloureuses craintes, des angoisses et des ennuis que vous dissiperez et convertirez au jour de la gloire en de véritables et solides joies.

C'est au point et à la suite de ce réveil que les âmes saintes, rendues entièrement à elles-mêmes et dans une pleine liberté de juger, ne 184 pourront se lasser d'admirer les adresses, les inventions, les finesses et les tromperies amou-reuses de l'époux ; combien ses voies sont impé-nétrables ; qu'il était impossible de développer ses énigmes, de le surprendre dans ses déguise-ments, d'admettre aucune consolation quand il voulait répandre la frayeur et l'alarme. À ce réveil, les Jérémie, les David voyaient [que] ce qui était en Dieu et dans les anges des sujets de joie, les désolait inconsolablement.

Ne réveillez point l'épouse, esprits forts, industries, actions humaines ! Laissez-la gémir, trembler, courir, chercher ! Il est vrai, l'époux la trompe, il se déguise. Elle rêve, et ses peines en sont de nuit et de sommeil. Mais laissez-la dormir, laissez l'époux travailler sur cette âme chérie et représenter en elle ce que lui seul sait peindre et exprimer. Laissez-lui développer la suite de cette apparence, il la réveillera quand il en sera temps. Joseph fait pleurer Benjamin : serviteurs de Joseph, ne découvrez pas le secret à [14] ce cadet ! Joseph le trompe, la tromperie est à l'épreuve de toute sa pénétration et de toute 185 son industrie, Benjamin et ses frères sont

---

14. Ms : *de*. Cf. *Genèse* 37-45.

plongés dans une douleur irrémédiable : ce n'est qu'un jeu de Joseph. Les pauvres frères n'y voient rien sinon un mal sans ressources. Ne leur dites rien ! Il remédiera à tout. Il les réveillera lui-même et ils admireront sa sagesse à faire voir tant de maux, de désespoirs dans le plus réel sujet de joie qu'il y ait jamais eu pour eux au monde.

Quiétistes ignorants et sans expérience, qui voulez une paix et une insensibilité dans l'épouse qui n'a pas été en Jésus et Marie, ni dans les David, prophètes et les Apôtres, que vous connaissez peu le pouvoir de l'action divine, l'étendue et la force et variété, l'efficace des ombres de la pure foi ! Que le sommeil de l'épouse dans cette nuit profonde vous est peu connu ! Que votre doctrine est convaincue de fausseté dans les admirables opérations et dans les jeux que l'Esprit Saint nous décrit dans le Cantique des Cantiques ! Toutes ses paroles démentent vos maximes. L'état de pure foi est un état de pure croix. Tout est sombre, tout est pénible, c'est une nuit qui noircit tout ce qui se présente. Il est vrai que l'âme est résignée, qu'elle est contente du bonheur de Dieu. Mais elle ne sent rien moins que cela : c'est un purgatoire où tout le senti et l'aperçu n'est que souffrance. Et la plus grande de toutes est de ne trouver en soi que la résignation et d'avoir une si forte tendance à son bien-être que celui de Dieu soit comme indifférent et ne touche point.

Qu'il y a de différence entre agir par principes objectifs, principe idéal, principe d'imitation ou de maximes, et[15] agir par principe de motion divine ! L'âme est poussée sans voir le chemin frayé[16] devant ses yeux. Ce n'est ni par où elle a vu ni lu qu'elle va. L'action propre va de la sorte, et elle ne peut aller autrement, elle ne peut rien risquer. Mais l'action divine est toujours nouvelle, elle ne marche point sur ses anciens pas, elle trace toujours de nouvelles routes. Les âmes qu'elle conduit ne savent où elles vont, leurs sentiers ne sont ni dans les livres ni dans leurs réflexions, l'action divine leur en fait continuellement l'ouverture, elles n'y entrent que par son impulsion. Quand on est conduit par un guide qui mène dans un pays inconnu, de nuit, à travers les champs, sans routes frayées, selon son génie, sans prendre avis de personne et sans vouloir découvrir ses desseins, peut-on prendre un autre parti que celui de l'abandon ? À quoi sert de regarder où l'on est, d'interroger les passants et consulter la carte et les voyageurs ? Le dessein et le caprice, pour ainsi dire, d'un guide qui veut que l'on se confie en lui, sera contraire à tout cela : il prendra plaisir à confondre l'inquiétude et la méfiance d'une âme, il veut une entière remise en lui. Si l'on s'aperçoit qu'il mène bien, ce ne sera plus ni foi ni abandon. L'action divine est essentiellement bonne, elle ne veut point être réformée ni contrôlée. Elle a commencé dès la création du monde et, dès cet instant, elle développe de nouvelles preuves. Elle ne limite point ses

187

---

15. Ms : *c'est.*
16. Ms : *frayée.*

opérations, sa fécondité ne s'épuise point. Elle faisait cela hier, elle fait ceci aujourd'hui. C'est la même action qui s'applique à tous les moments par des effets toujours nouveaux, et elle se déploiera aussi éternellement. Elle a fait des Abel, des Noé, des Abraham sur différentes idées. Isaac sera un original, Jacob ne sera pas sa copie ni Joseph la sienne. Moïse n'a point vu son semblable parmi ses pères. David, les prophètes sont tous d'une autre figure que les patriarches. Saint Jean les passe tous. Jésus-Christ est le premier-né. Les Apôtres agissent plus par l'impression de son Esprit que par l'imitation de ses œuvres. Jésus-Christ ne s'est point imité lui-même, il n'a point suivi à la lettre ses maximes. L'Esprit divin a toujours inspiré sa sainte âme. Ayant toujours été abandonnée à son souffle, elle n'avait pas besoin de consulter le moment précédent pour donner la forme au suivant. Le souffle de la grâce formait tous ses moments sur le modèle des vérités éternelles que la Sainte Trinité en conservait dans son invincible et impénétrable sagesse. L'âme de Jésus-Christ reçoit les ordres à chaque instant et elle les produit au-dehors. L'Évangile fait voir la suite de ces vérités dans la vie de Jésus-Christ. Et le même Jésus, qui est toujours vivant et toujours opérant, vit et opère encore de nouvelles choses dans les âmes saintes.

Voulez-vous vivre évangéliquement ? Vivez en plein et pur abandon à l'action de Dieu. Jésus-Christ en est la source. Il était hier, il est encore aujourd'hui pour continuer encore sa vie et non pour la recommencer. Ce qu'il a fait est fait, ce qui reste à faire se fait à tout moment. Chaque saint reçoit une partie de cette vie divine. Jésus-Christ est différent en tous [17], quoiqu'il soit le même. La vie de chaque saint est la vie de Jésus-Christ, c'est un évangile nouveau. Les joues de l'époux sont comparées à des plates-bandes et des parterres couverts de fleurs odoriférantes [18] : l'action divine est le jardinier qui varie admirablement le parterre. Ce parterre n'est semblable à aucun autre. Parmi toutes les fleurs, il n'en est pas deux qui se ressemblent et que l'on puisse dire être de même, sinon à l'abandon qu'elles font d'elles-mêmes à l'ouvrage du jardinier, le laissant maître de faire ce qu'il lui plaît, se contentant de faire de leur côté ce qui est de leur nature et de leur état. Laisser faire Dieu et [faire] ce qu'il exige de nous, voilà l'Évangile, voilà l'Écriture générale et la loi commune.

Voilà donc le facile, le clair, la propre action de tous les instruments divins. C'est l'unique secret de l'abandon, mais secret sans secret, art sans art. C'est la voie droite. Dieu, qui exige cela de tous, l'a expliqué clairement, il le rend très intelligent et très simple. Ce que la voie de pure foi a d'obscur, n'est pas dans ce que l'âme doit y pratiquer, mais dans ce que Dieu s'est réservé. Rien de plus facile à comprendre que la première chose et rien de plus lumineux. Le mystérieux n'est que dans ce que Dieu fait lui-même. Voyez ce qui se passe dans l'Eucharistie : ce qui est nécessaire pour changer le corps de Jésus-Christ

190

---

17. Ms : *tout.*
18. *Cantique* 5, 13.

est si clair et si aisé que tout le monde, quelque grossier qu'il soit, en est [aus]si capable, s'il en a le caractère [19]. Et cependant c'est le mystère des mystères, où tout est si caché et si obscur, si incompréhensible que, plus on est éclairé et spirituel, plus il faut de foi pour le croire. La voie de pure foi présente quelque chose de semblable. Son effet est de faire trouver Dieu à chaque moment : voilà la chose la plus relevée, la plus mystique, la plus béatifiante. C'est un fonds inépuisable de pensées, de discours, d'écritures, c'est un assemblage et une source de merveilles. Cependant, pour produire cet effet si prodigieux, que faut-il ? Une chose : laisser faire Dieu et faire tout ce qu'il veut selon son état. Rien de plus aisé dans la vie spirituelle et qui ne soit à la portée de tous. Voilà donc ce merveilleux : ce chemin obscur. Pour y marcher, l'âme a besoin d'une grande foi. Tout y est d'autant plus suspect que la raison a toujours à redire : « Être obligée de croire ce qu'on ne voit pas ! Tout ce qu'on a lu, vu n'est point cela, c'est choses nouvelles ! Les prophètes étaient des saints, ce Jésus est un enchanteur [20] ! » Ainsi parlaient les Juifs. Ah ! que l'âme qui, à leur exemple, est scandalisée [21], a peu de foi !

Dès l'origine du monde, Jésus-Christ vit en nous, il opère en nous tout le temps de notre vie. Celui qui s'écoulera jusqu'à la fin du monde est

---

19. S'il a reçu le « caractère » sacerdotal, c'est-à-dire le sacrement de l'ordre.

20. *Matthieu* 27, 63 : « Ce séducteur… »

21. Ms : *n'est point scandalisée.*

un jour. Jésus a vécu et il vit encore : il a commencé en soi-même et il continue dans ses saints une vie qui ne finira jamais. Ô vie de Jésus qui comprend et excède tous les siècles, vie qui fait à tous moments de nouvelles opérations ! Si tout le monde n'est pas capable de contenir tout ce que l'on pourrait écrire de Jésus, de ce qu'il a fait, ou dit, et de sa vie en lui-même[22], si l'Évangile ne nous en crayonne que quelques petits traits, si la première heure est si inconnue et si féconde, combien faudrait-il écrire d'évangiles pour faire l'histoire de tous les moments de cette vie mystique de Jésus-Christ, qui multiplie les merveilles à l'infini et les multipliera éternellement, puisque tous les temps, à proprement parler, ne sont que l'histoire de l'action divine ? Le Saint-Esprit a fait marquer en caractères infaillibles et incontestables quelques moments de cette vaste durée, il a ramassé dans les Écritures quelques gouttes de cette mer, il a fait voir par quelles[23] secrètes et inconnues manières il a fait paraître Jésus-Christ au monde. On voit les canaux et les veines qui, dans la confusion des enfants des hommes, distinguent l'origine, la race, la généalogie de ce premier-né. Tout l'Ancien Testament n'est qu'une petite route des innombrables et inscrutables voies de ce divin ouvrage : il n'y a que ce qui est nécessaire pour arriver à Jésus. L'Esprit divin a tenu tout le reste caché dans les trésors de sa sagesse et, de toute cette mer de l'action divine, il ne fait

192

193

---

22. Cf. *Jean* 21, 25.
23. Ms : *quelques*.

paraître qu'un fil d'eau qui, étant parvenu à Jésus, s'est perdu dans les Apôtres et a abîmé dans l'Apocalypse, de sorte que le reste de l'histoire de cette divine action qui consiste dans toute la vie mystique que Jésus mène dans les âmes saintes jusqu'à la fin des siècles, n'est que l'objet de notre foi. Tout ce qui en est écrit n'en est que plus évident. Nous sommes dans les siècles de la foi. Le Saint-Esprit n'écrit plus d'évangile que dans les cœurs. Toutes les actions, tous les moments des saints sont l'Évangile du Saint-Esprit. Les âmes saintes sont le papier, leurs souffrances et leurs actions sont l'encre. Le Saint-Esprit, par la plume de son action, écrit un évangile vivant. Et on ne pourra le lire qu'au jour de la gloire où, après être sorti de la presse de cette vie, on le publiera.

194   Ô la belle histoire ! le beau livre que l'Esprit Saint écrit présentement ! Il est sous la presse, âmes saintes, il n'y a point de jour qu'on [n']en arrange les lettres, que l'on [n']y applique l'encre, que l'on [n']en imprime les feuilles. Mais nous sommes dans la nuit de la foi : le papier est plus noir que l'encre, il n'y a que confusion dans les caractères, c'est une langue de l'autre monde, on n'y entend rien. Vous ne pouvez lire cet évangile que dans le ciel. Si nous pouvions voir la vie et regarder toutes les créatures non en elles-mêmes, mais dans leur principe ; si nous pouvions, encore un coup, voir la vie de Dieu dans tous les objets comme l'action divine les meut, les mêle, les assemble, les oppose, les pousse avec des termes contraires, nous reconnaîtrions que tout a ses raisons, ses

mesures, ses proportions, ses rapports dans ce divin ouvrage. Mais comment lire ce livre dont les caractères sont inconnus, innombrables, renversés et couverts d'encre ? Si le mélange de vingt-quatre lettres est incompréhensible, de 195 sorte qu'elles suffisent à composer à l'infini des volumes différents et tous admirables dans leur genre, qui pourra exprimer ce qu'un Dieu fait dans l'univers ? Qui pourra lire et comprendre le sens d'un si vaste livre, dans lequel il n'y a pas une lettre qui n'ait sa figure particulière, qui ne renferme à sa petitesse de profonds mystères ? Les mystères ne se voient ni se sentent, ils sont objets de foi. La foi ne juge de leur vérité et bonté que par leur principe, car en eux-mêmes ils sont si obscurs que toutes leurs apparences ne servent qu'à les celer, les cacheter et aveugler ceux qui jugent par la raison seule. Apprenez-moi, divin Esprit, à lire dans ce livre de vie ! Je veux devenir votre disciple et, comme un simple enfant, croire à ce que je ne puis voir. Il me suffit que mon maître parle. Il dit cela, il prononce, il assemble cette lettre de cette façon, il se fait entendre ainsi : cela suffit. Je juge que c'est tout comme il l'a dit. Je n'en vois point 196 de raison ni [24] la vérité infaillible. Tout ce qu'il dit, tout ce qu'il croit est véritable. Il veut que les lettres soient ensemble pour faire un mot, qu'un tel nombre en fasse un autre. Il n'y en a que trois, que six : il ne faut que cela, et moins ferait un faux sens. Lui seul, qui sait les pensées, peut assembler les lettres pour les écrire. Tout

_____

24. Ms : *et.*

signifie, tout a un sens parfait. Cette ligne finit ici parce qu'il le faut, il n'y a pas une virgule qui manque, un point inutile. Je le crois présentement et, lorsque le jour de la gloire me révélera tant de mystères, je verrai ce que je ne comprends que confusément et qui me paraît si embrouillé, si embarrassé, si peu sensé et suivi, si imaginaire. Tout cela me ravira, me charmera éternellement par les beautés, l'ordre, les raisons, la sagesse et les incompréhensibles merveilles que je découvrirai.

197 Tout ce que nous voyons n'est que vanité et mensonge. La vérité des choses est en Dieu. Qu'il y a de différences entre les idées de Dieu et nos illusions ! Comment se peut-il qu'étant continuellement avertis que tout ce qui se passe dans le monde n'est qu'une ombre, qu'une figure, que mystère de foi, nous nous conduisions toujours humainement et par le sens naturel des choses qui n'est qu'une énigme ? Nous donnons toujours dans le piège, comme des insensés [25], au lieu de lever les yeux et de remonter au principe, à la source, à l'origine des choses où tout a un autre nom et d'autres qualités, où tout est surnaturel, divin, sanctifiant, où tout est partie de la plénitude de Jésus-Christ, où tout est pierre de la Jérusalem céleste [26], où tout entre et fait entrer dans cet édifice merveilleux. Nous vivons comme nous voyons et comme nous sentons, et nous rendons inutile cette lumière de la foi qui nous conduisait

---

25. Ms : *insensées*.
26. Cf. *Apocalypse* 3, 12.

si sûrement dans le labyrinthe de tant de ténèbres et d'images parmi lesquelles nous nous égarons comme des insensés, faute de marcher à la faveur de la foi, qui ne voit rien que Dieu et de Dieu, et qui vit toujours de lui, laissant et outrepassant sa figure. 198

La foi est la lumière du temps. Elle seule atteint la vérité sans la voir, elle touche ce qu'elle ne sent point, elle voit tout ce monde comme s'il n'était point, voyant tout autre chose que ce qui est apparent. C'est là la clé des trésors, la clé de l'abîme [27] et de la science de Dieu [28]. C'est la foi qui convainc toutes les créatures de mensonge, c'est par elle que Dieu se révèle et se manifeste en toutes choses, qu'il les divinise [29]. Elle ôte le voile et découvre la vérité éternelle. Quand une âme a reçu cette intelligence de la foi, Dieu lui parle par toutes les créatures. L'univers est pour elle une écriture vivante que le doigt de Dieu trace incessamment devant ses yeux. L'histoire de tous les moments qui coulent est une histoire sainte. Les Livres Saints que l'Esprit de Dieu a dictés ne sont pour elle que le commencement des divines instructions. Tout ce qui arrive et qui n'est point écrit, est pour elle [30] la suite de l'Écriture. Ce qui est écrit est le commentaire de ce qui ne l'est pas. La foi juge de l'un par l'autre. L'abrégé écrit est l'introduction de la plénitude de l'action divine 199

---

27. Cf. *Apocalypse* 9, 1 et 20, 1.
28. Cf. *Luc* 11, 52.
29. Ms : *qui les divinise.*
30. Ms : *n'est point écrit pour, est pour elle.*

raccourcie dans les Écritures. L'âme y découvre des secrets pour pénétrer les mystères qu'il renferme dans toute son étendue.

ANNEXE

On rapporte ici le hors-texte qui figure dans le manus-crit et qui n'est pas dû à l'auteur.

Page-titre :

Traité où l'on découvre la vraie science
de la perfection du salut

L'autheur est le R^d Père Caussade,
de la Compagnie de Jésus [1]

Folio 1 (recto-verso) :

Avis.

En lisant ce traité, il faut y apporter la simplicité et ne pas prendre dans un sens différent des choses qui indui-raient à erreur, si l'instruction n'y mettait le correctif par l'interprétation. D'autant plus que c'était à une personne en particulier à qui était adressée cette morale de perfection qui serait préjudiciable aux âmes qui commencent, et qui, voulant s'élever d'elles-mêmes, détruiraient l'ordre établi de Jésus-Christ même, la dépendance des ministres pour la conduite spirituelle n'ayant de solidité et sûreté que lorsqu'elle est approuvée et dirigée par ceux qui sont les dépositaires et les interprètes de l'Église et de l'Esprit Saint qui les anime. Il faut se persuader encore que dans cette vie, il

---

1. D'une graphie nettement moins soignée et régulière que celle du titre, cette mention pourrait avoir été apposée lorsque le traité fut relié en même temps qu'un *Petit traité sur l'oraison pour les âmes avancées en ce St Exercice*, placé à sa suite et anonyme : la même graphie se retrouve en tête de ce second traité.

197

n'y a point d'état permanent de sainteté où l'âme soit établie, ne faisant qu'adhérer à l'impulsion de Dieu. Nous pouvons ou accepter ou refuser, notre libre arbitre étant à notre disposition. L'exemple que nous voyons tous les jours des âmes les plus élevées tomber, nous prouve qu'il n'y a pas, en cette vallée de larmes, un état où la vertu ne puisse se perdre, si la correspondance de l'âme ne s'y trouve.

La phrase sur Marie (« La vertu du Très-Haut la couvrit de son ombre, et cette ombre n'était que ce que chaque moment présentait de croix, de devoirs et d'attraits, etc. »), c'est mal énoncé ainsi que les pages suivantes, si elles étaient entendues pour l'incarnation du Verbe de cette façon.

Il faut donc se précautionner sur l'abus que pourraient faire certains esprits qui courraient après une perfection illusoire de repos, inaction de leur part, donnant dans un abandon à Dieu si total qu'elles attendraient tout de lui, de moment en moment, sans prendre de moyens de leur part pour assurer leur salut et travailler à l'acquisition des vertus pratiques.

Folio 2 (recto) :

Avant-propos.

Ce petit ouvrage ne contient autre chose que des lettres écrites par un ecclésiastique à une supérieure de communauté religieuse. On voit assez que l'auteur était une belle âme, très intérieur et grand ami de Dieu. Il découvre dans ses lettres, dont on cru devoir supprimer quelque chose pour abréger, la vraie méthode, la plus courte et réellement l'unique, pour arriver à Dieu. Heureuse l'âme qui embrassera avec courage les leçons qu'il y donne ! Les pécheurs y trouveront de quoi racheter leurs péchés en satisfaisant aux actions passées de leur volonté propre pour ne plus s'attacher qu'à celle de Dieu. Et les justes verront qu'à peu de frais et sans se mettre en peine, pour ainsi dire, de leurs propres affaires, ils peuvent arriver en peu de temps à un haut degré de perfection et à une éminente sainteté. C'est tout le but que l'on se propose ici, à la plus grande gloire de Dieu et à la sanctification du lecteur.

À la suite du traité :

Table des matières [2]

---

2. *La Table reproduit l'erreur commise par la copiste dans la numérotation des chapitres : ce qui devrait être le chapitre VII est devenu le chapitre VI bis. Dans le manuscrit, la mention du chapitre VI a été reportée en note au bas de la table.*

Table

Composition et mise en pages : FACOMPO, LISIEUX

Pour être informé des publications
des Éditions Desclée de Brouwer
et recevoir notre catalogue,
envoyez vos coordonnées à :

Éditions Desclée de Brouwer
10, rue Mercœur
75011 Paris

Nom : . . . .
Prénom : . . . .
Adresse : . . . .
. . . .
Code postal : . . . .
Ville : . . . .
E-mail : . . . .
Téléphone : . . . .
Fax : . . . .

Je souhaite être informé(e) des publications
des Éditions Desclée de Brouwer

Cet ouvrage a été imprimé
en juillet 2010 par

FIRMIN-DIDOT

27650 Mesnil-sur-l'Estrée
N° d'impression : 100900
Dépôt légal : décembre 2005

Imprimé en France